A GRANDE ESTRANGEIRA

Sobre literatura

Michel
FOUCAULT

A GRANDE ESTRANGEIRA
Sobre literatura

EDIÇÃO E APRESENTAÇÃO
Philippe Artières
Jean-François Bert
Mathieu Potte-Bonneville
Judith Revel

TRADUÇÃO
Fernando Scheibe

autêntica

Título original: *La grande étrangère: à propos de littérature*

EDITORA RESPONSÁVEL
Rejane Dias

EDITORA ASSISTENTE
Cecília Martins

REVISÃO
Aline Sobreira
Lívia Martins

PROJETO GRÁFICO E CAPA
Diogo Droschi
(capa sobre imagem de
Martine Franck/Magnum/Latinstock)

DIAGRAMAÇÃO
Carol Oliveira

Dados Internacionais de Catalogação na Publicação (CIP)
(Câmara Brasileira do Livro, SP, Brasil)

Foucault, Michel, 1926-1984.
A grande estrangeira : sobre literatura / Michel Foucault ; tradução Fernando Scheibe. – 1. ed. – Belo Horizonte : Autêntica Editora, 2016.

Título original: La grande étrangère : à propos de littérature.
ISBN 978-85-8217-577-4

1. Crítica literária 2. Ensaios 3. Foucault, Michel, 1926-1984 4. Literatura - Filosofia I. Título.

15-02071 CDD-809

Índices para catálogo sistemático:
1. Crítica literária: Ensaios 809

Belo Horizonte
Rua Carlos Turner, 420
Silveira . 31140-520
Belo Horizonte . MG
Tel.: (55 31) 3465-4500

Rio de Janeiro
Rua Debret, 23, sala 401
Centro . 20030-080
Rio de Janeiro . RJ
Tel.: (55 21) 3179-1975

São Paulo
Av. Paulista, 2.073,
Conjunto Nacional, Horsa I
23° andar . Conj. 2301 .
Cerqueira César . 01311-940
São Paulo . SP
Tel.: (55 11) 3034 4468

www.grupoautentica.com.br

Os editores agradecem à família Foucault, a
Daniel Defert, Bertrand Richard e ao IMEC
(Institut Mémoires de l'Édition Contemporaine).

Apresentação

Philippe Artières, Jean-François Bert,
Mathieu Potte-Bonneville & Judith Revel

Li muito, outrora, aquilo que chamam de "literatura". Rejeitei finalmente um bom número de livros por incapacidade minha, porque, decerto, eu não tinha o bom código para ler. Agora [1975], emergem livros como *Au-dessous du volcan* e *Le rivage des Syrtes*.[1] Um escritor de que gosto é Jean Demelier; *Le rêve de Job* me impressionou muito. Também gosto dos livros de Tony Duvert.[2] No fundo, para as pessoas da minha geração, a grande literatura era a literatura norte-americana, era Faulkner. É provável que só ter acesso à literatura contemporânea através de uma literatura estrangeira, à fonte da qual nunca se podia remontar, tenha introduzido uma espécie de distância em relação à literatura. A literatura era a "grande estrangeira".[3]

---

[1] Edições brasileiras: LOWRY, Malcom. *À sombra do vulcão*. Tradução de Leonardo Fróes. Porto Alegre: L&PM, 2007; GRACQ, Julien. *O litoral das Sirtes*. Tradução de Vera Harvey. Rio de Janeiro: Guanabara, 1986. (N.T.)

[2] Tony Duvert (1945-2008), escritor, vencedor, em 1973, com *Paysage de fantasie* (Paisagem de fantasia), do prêmio Médicis. (N.T.)

[3] La fête de l'écriture. Entretien avec J. Almira et J. Le Marchand. *Le Quotidien de Paris*, n. 328, 25 avril 1975, p. 13. Publicado em

Nessa conversa sobre o livro de Jacques Almira[4] *Le voyage à Naucratis* (obra da qual recebeu primeiro o manuscrito pelo correio), em 1975, Foucault se entrega como raramente fazia a uma descrição de sua biblioteca literária. Logo se vê como essa curta lista é heteróclita. O leque de suas leituras se estende de jovens autores como Jean Demelier[5] ou Jacques Almira a veteranos como Julien Gracq; em outros lugares, fala de sua admiração por Thomas Mann, Malcom Lowry e William Faulkner,[6] admiração que o leva, em 1970, a fazer uma viagem em terra faulkneriana, subindo o vale do Mississippi até Natchez. A história do leitor Foucault ainda é mal conhecida. Segundo seu irmão, na casa onde ambos passaram a infância, em Poitou, havia duas bibliotecas distintas; uma, a paterna, erudita, médica e proibida, no escritório do pai cirurgião; a outra, a materna, literária e aberta. Foucault descobre nela Balzac, Flaubert e a literatura clássica, enquanto, na escola de padres que frequenta, lê textos gregos e

---

Dits et écrits. Editado por Daniel Defert, François Ewald e Jacques Lagrange. Paris: Gallimard, 1995, v. 2, texto n. 154. [A festa da escrita. In: *Ditos e escritos*, v. 7 (1975). Indicarei sempre desse modo onde o leitor poderá encontrar a versão em português do texto, referindo-me à edição brasileira dos *Ditos e escritos* organizada por Manuel Barros da Motta (Rio de Janeiro: Forense Universitária, 1999-2014. 10 v.).]

[4] Jacques Almira, escritor, formado em Filosofia e Letras Clássicas, é autor de diversos romances e novelas; recebeu o prêmio Médicis de 1975 por *Le voyage à Naucratis* [A viagem a Náucratis] (Gallimard).

[5] Jean Demelier, escritor e pintor nascido em Poitiers, em 1940, amigo de Samuel Beckett e de Pierre Klossowski. Seus dois primeiros romances, *Le rêve de Job* [O sonho de Jó] (Paris: Gallimard, 1971) e *Le sourire de Jonas* [O sorriso de Jonas] (Paris: Gallimard, 1975), propiciaram-lhe reconhecimento por parte da crítica.

[6] Ver: Vérité, pouvoir et soi. In: *Dits et écrits*, v. 2, texto n. 362, p. 1598. [Verdade, poder e si mesmo. In: *Ditos e escritos* v. 5 (1988).]

latinos.[7] Mas provavelmente é na Rue d'Ulm, tendo a seu dispor a fantástica biblioteca da École Normale Supérieure, uma das primeiras de acesso livre da França, onde conviviam livros de poesia e tratados filosóficos, ensaios críticos e textos históricos, que Foucault faz a experiência de uma leitura sem barreiras. Nesse lugar, mantido por Maurice Boulez,[8] ele desconstrói a ordem dos discursos, e a literatura advém a seus olhos. Daniel Defert, em sua cronologia dos *Ditos e escritos*, fornece algumas balizas: Foucault devora Saint-John Perse em 1950, lê Kafka em 1951, Bataille e Blanchot a partir de 1953, segue a aventura do *nouveau roman* (especialmente os livros de Alain Robbe-Grillet), descobre Roussel no verão de 1957, lê os autores de *Tel Quel* (Sollers, Ollier...) em 1963, relê Beckett em janeiro de 1968...

Também não se deve negligenciar a importância da partida para o exterior, em 1956: a frequentação cotidiana dos fundos da Maison de France, em Uppsala, ou ainda do Centre de Civilisation Française, em Varsóvia, decerto influenciou intensamente a estreita relação de Foucault com a língua literária. Na solidão do inverno sueco, e depois polonês, Foucault leu muito – a poesia de René Char é seu livro de cabeceira – e deu aulas sobre literatura. É lá, no meio dessas duas línguas estrangeiras, que faz, como se sabe, sua primeira grande experiência de escrita, é lá também que ensina francês várias horas por semana, é lá, sobretudo, que dá cursos de literatura francesa, entre os quais um memorável, sobre o amor na literatura francesa de Sade a Genet. Na Suécia, Foucault

---

[7] Denys Foucault citado em ARTIÈRES, Philippe *et al* (Éd.). *Cahier Foucault*. Paris: L'Herne, 2011.

[8] Bibliotecário na ENS da Rue d'Ulm e irmão do compositor Pierre Boulez.

anima também um clube de teatro, montando várias peças contemporâneas com os estudantes.[9] Em Cracóvia e em Gdansk, faz, em 1959, conferências sobre Apollinaire. E há ainda um lado mais anedótico nessa história do leitor Foucault: seus encontros, durante a estadia em Uppsala, com Claude Simon, Roland Barthes ou Albert Camus, que viera receber seu prêmio Nobel.

Assim como no fim de sua vida, ele frequenta vários jovens escritores, tais como Mathieu Lindon e Hervé Guibert, sem nunca "falar" de literatura; é verossímil que então leia esses autores, mas não chega a entrar em diálogo com eles, assim como jamais encontrou Maurice Blanchot, "dizendo admirá-lo demais para conhecê-lo".[10] Foucault, no início dos anos 1960, tem com a literatura uma intimidade que fica evidente ao exame de suas notas de leitura preparatórias para a *História da loucura*. O estudo paciente dos arquivos do enclausuramento, dos registros do hospital Bicêtre ou das *lettres de cachet*[11] é, em primeiro lugar, uma experiência de leitura literária sobre a qual ele se explicará bem mais tarde, na apresentação que faz de alguns desses documentos com a historiadora Arlette Farge em *Le désordre des familles*.[12] Foucault fica tocado com a beleza dessa poética do arquivo, com essas puras existências gráficas, com o que ele próprio

[9] Segundo os documentos conservados nos arquivos da Aliança Francesa, disponíveis na biblioteca universitária de Uppsala.

[10] DEFERT, Daniel. Chronologie. In: *Dits et écrits*, v. 1, p. 43.

[11] *Lettre de cachet*: no Antigo Regime, carta com o sinete do rei contendo uma ordem de prisão ou exílio sem julgamento. (N.T.)

[12] FARGE, Arlette; FOUCAULT, Michel. *Le désordre des familles: lettres de cachet des archives de la Bastille* [A desordem das famílias: *lettres de cachet* dos arquivos da Bastilha]. Paris: Gallimard, 1982. (Archives).

designa como "a linha de declive da literatura desde o século XVII".[13]

No entanto, ele não para de se defender dessa intimidade. Assim, eis a maneira como relata seu encontro com a obra de Raymond Roussel, autor a quem consagra um livro inteiro em 1963:

> [na livraria Corti] meu olhar foi atraído por uma série de livros cuja cor amarelada, um pouco desusada, era a cor tradicional dos livros das velhas casas de edição do fim do século XIX. [...] Topei com um autor de que nunca tinha ouvido falar: Raymond Roussel. O livro se chamava *La Vue* [A vista]. Desde as primeiras linhas, percebi ali uma prosa extremamente bela.[14]

A "grande estrangeira" seria na verdade uma passageira clandestina. Pois Foucault não é apenas um leitor exigente e um escritor cujo estilo foi admirado e reconhecido quando da publicação de cada um de seus livros; lendo-o bem, agora que dispomos não apenas de seus livros, mas também de seus *Ditos e escritos* e de seus cursos no Collège de France, percebemos que o filósofo mantém com a literatura – os documentos que compõem o presente volume atestam isso magnificamente – uma relação complexa, crítica, estratégica. Lendo os diversos prefácios, entrevistas, conferências que Foucault consagra durante os anos 1960 à literatura (quer se organizem sob a égide dos nomes próprios de Blanchot, Bataille... quer pretendam, pelo contrário, fazer passar as unidades tradicionais da crítica literária pelo crivo de uma crítica do autor ou de uma descrição geral do espaço da

---

[13] La vie des hommes infames (1977). In: *Dits et écrits*, v. 2, texto n. 198, p. 252. [A vida dos homens infames. In: *Ditos e escritos*, v. 4]

[14] Archéologie d'une passion (1983). In: *Dits et écrits*, v. 2, texto n. 343, p. 1418. [Arqueologia de uma paixão. In: *Ditos e escritos*, v. 3]

linguagem[15]); lembrando também que esses textos não formam apenas um contraponto insistente aos grandes livros arqueológicos, mas encontram no próprio seio destes um eco pontual através da referência a Orestes ou a O *sobrinho de Rameau* (*História da loucura*), a Sade (*Nascimento da clínica*), ou a Cervantes (*As palavras e as coisas*), pode-se avaliar melhor a singularidade dessa inquietação com o literário. Se, em parte, trata-se de um fenômeno geracional; se ele prolonga, também, um gesto insistente no pensamento francês que consiste em fazer do romance ou da poesia as pedras de toque do ato de filosofar (prova a que Bachelard, Sartre ou Merleau-Ponty não deixaram de se submeter), a inquietação de Foucault assume o aspecto de uma verdadeira duplicação de seu próprio discurso. Duplicação ou, antes, dublagem permanente, isto é, tentativa, levada ao extremo, de expressar a uma só vez a ordem do mundo e de suas representações num determinado momento (o que conhecemos, no movimento da pesquisa foucaultiana, como a descrição arqueológica de um "sistema de pensamento") e aquilo que, paradoxalmente, representaria, apesar de tudo, sua dimensão excedente, seu transbordamento, seu *fora*. Lá onde os grandes livros dos primeiros anos, apesar da variação de seus objetos específicos (a loucura, a clínica, o nascimento das ciências humanas), analisavam aquilo que nossa maneira de organizar os discursos sobre o mundo deve a uma série de partilhas historicamente determinadas, os textos sobre a literatura que lhes são contemporâneos parecem, ao contrário, desdobrar toda uma série de figuras estranhas – escritores recalcitrantes, Palavras[16] geladas, labirintos de escrita – para

[15] Ver a bibliografia de Foucault sobre a literatura, p. 201.

[16] Em francês, *paroles*. *Parole* é uma palavra difícil de traduzir: palavra, fala, linguagem, discurso, letra (de música)... Em alguns casos, traduzi por "fala", para fazer ressoar a distinção saussuriana entre

encarnar, se não a recusa explícita dessas partilhas, ao menos sua exceção notável. Num único caso, a "linha dos livros" e a dos textos literários de Foucault se superpõem: trata-se de *Raymond Roussel*,[17] única obra em que a investigação histórica e epistêmica parece dever desaparecer totalmente para se reformular, em baixo-relevo, a propósito exatamente daquilo que coloca em xeque a ordem do discurso: um gesto, decerto – o de escrever –, mas também alguma coisa que implica imediatamente uma maneira de se apoderar da literatura como estratégia. Por toda parte, nesses mesmos anos, Foucault é, portanto, levado a sustentar simultaneamente, a fazer jogar ao mesmo tempo uma inespecificidade da literatura e, o contrário disso, sua centralidade estratégica: no primeiro caso – a investigação arqueológica –, a literatura não possui nenhuma especificidade em relação a outras produções discursivas (atos administrativos, tratados, fragmentos de arquivos, enciclopédias, obras eruditas, cartas privadas, jornais...); no segundo (os textos "literários"), trata-se de expressar, no próprio seio da literatura, certa relação entre uma postura e procedimentos de escrita que, por se darem sob uma forma particular, engendram algo como uma experiência de des-ordem, ou a instauração de uma ruptura: uma matriz de mudança, um operador de metamorfose. Em suma, de um lado, a correlação implacável entre as palavras e as coisas, de outro, a estranha constatação de que aquilo que se pode dizer é, no entanto, por vezes, impossível de pensar – estranha disjunção que abre caminho, a partir de

---

langue e *parole* (par já consagrado em português como *língua* e *fala*); em outros, utilizei "Palavra", com P maiúsculo, para distinguir *parole* de *mot* (palavra *stricto sensu*). (N.T.)

[17] *Raymond Roussel*. Paris: Gallimard, 1963. (Le Chemin) [edição brasileira: *Raymond Roussel*. Tradução de Manuel B. da Motta e Vera Lúcia A. Ribeiro. Rio de Janeiro: Forense Universitária, 1999.]

então, para todo um campo de experimentações em que o discurso poderia também se libertar de seus próprios códigos ou da univocidade daquilo que mostra:

> O enigma de Roussel é que cada elemento de sua linguagem esteja investido numa série não enumerável de configurações eventuais. Segredo muito mais manifesto, mas muito mais difícil que aquele sugerido por Breton: ele não reside numa astúcia do sentido nem no jogo dos desvelamentos, mas *numa incerteza concertada da morfologia*, ou antes, na certeza de que *várias construções podem articular o mesmo texto*, autorizando sistemas de leitura incompatíveis, mas todos possíveis: uma *polivalência rigorosa e incontrolável das formas*.[18]

Duas observações a esse respeito. Por um lado, esse "fora" que, para Foucault, a literatura representa em relação às suas próprias análises é indissociável de um gesto voluntário. Não é a literatura enquanto tal que é investida por essa vertiginosa *polivalência das formas*, por esse deslizamento de nossa ordem do mundo para o abismo de sua própria heterogeneidade,[19] mas o gesto que a produz: a literatura como estratégia, ou seja, certo *uso do literário*, a utilização de *procedimentos*, e todo um trabalho de dinamitagem interno à economia da narrativa que passa pela construção de um campo de batalha contra a hegemonia do sentido. Por outro, esse "fora" excede a definição que Blanchot fornecera dele, e que Foucault

---

[18] Dire et voir chez Raymond Roussel. *Lettre Ouverte*, n. 4, verão 1962, retomado em *Dits et écrits*, v. 1, texto n. 10, p. 211. Sublinhado por nós. [Dizer e ver em Raymond Roussel. In: *Ditos e escritos*, v. 3 (1962).]

[19] Em francês, *brouillage*: embaralhamento, interferência, parasitagem, mas também, em mineralogia, "ponto em que uma jazida está interrompida por rochas heterogêneas". (N.T.)

endossou já em meados dos anos 1960 – a constatação da dissolução do laço entre o "penso" e o "falo", o gotejar indefinido da linguagem para fora de si mesma: esse fora é também, imediatamente, a fixação de outro modo de ser do discurso, que escapa à dinastia da representação e coloca em jogo procedimentos materiais de construção dessas Palavras estruturalmente recalcitrantes – dependendo do caso: inaudíveis, escandalosas, inclassificáveis, intraduzíveis, indecidíveis, fragmentárias, aleatórias, inconstantes, vertiginosas.

No fim dos anos 1960, essa estranha relação com a literatura parece se apagar. As razões são decerto numerosas; gostaríamos de mencionar pelo menos três.

A primeira está ligada, antes de tudo, ao abandono do privilégio do discursivo em relação a outras formas de práticas. A ordem do discurso é uma ordem (historicamente determinada) do mundo: é uma das modalidades através das quais organizamos nossa relação com as coisas, com nós mesmos e com os outros, mas não representa seu modelo exclusivo. Por vezes, a ordenação discursiva precede e funda outras partilhas (por exemplo, o nascimento de uma instituição, certo tipo de intervenção sobre os corpos, uma exclusão social), por vezes, ainda, ela parece ter de ser seu resultado. Da mesma maneira, a "desordem" de certo uso da literatura é uma tentativa entre outras de fraturar a ordem do mundo: existem outras estratégias – uma tomada da palavra não mediada pela escrita; mas também maneiras de "conduzir sua própria conduta" que valem como estratégias de ruptura, de recolocação em causa ou de dinamitagem da ordem do mundo. Desse ponto de vista, o abandono progressivo do campo literário como "dublagem" de sua própria pesquisa se deve provavelmente em Foucault à vontade de estender seu próprio questionamento a uma temática mais ampla – colocada, dessa vez, em termos de poderes e de resistências. A escrita literária, utilizada como máquina de guerra, pode perfeitamente encontrar aí seu lugar; mas não representa mais seu paradigma.

A segunda razão está ligada à dificuldade de prestar contas de uma decisão. Falamos de *usos* do literário e de *procedimentos de escrita*: para tanto, é preciso vontade, já que é de um projeto que se trata. Ora, a velha ideia – decerto prenhe, ainda, de reminiscências fenomenológicas – de acordo com a qual é no cruzamento da literatura e da loucura que se instaura essa Palavra capaz de "tirar a linguagem dos gonzos" torna o problema do projeto dificilmente discernível. O que dizer da *vontade* de um Louis Wolfson,[20] ou de um Jean-Pierre Brisset?[21] E ainda que essa vontade fosse explícita, como lidar com aquilo que parece cada vez mais interessar Foucault desde o início dos anos 1970 – e, singularmente, a partir dessa outra experiência de tomada da palavra que o episódio do Grupo de Informação sobre as Prisões (GIP) representa –,

---

[20] Louis Wolfson, escritor norte-americano nascido em 1931, foi muito cedo diagnosticado como esquizofrênico. Redigido em francês, seu texto *Le schizo et les langues* [O esquizofrênico e as línguas] foi publicado em 1970 pela Gallimard, com prefácio de Gilles Deleuze, e teve uma repercussão crítica considerável, atestada especialmente pelo texto de Michel Foucault "Sept propos sur le septième ange" (em *Dits et écrits*, v. 2, texto n. 73. p. 13-25). [Sete proposições sobre o sétimo anjo. In: *Ditos e escritos*, v. 3 (1970).]

[21] Jean-Pierre Brisset (1837-1919) foi confeiteiro, gramático, escritor, inventor, comissário de vigilância administrativa na estação de Angers, eleito "príncipe dos pensadores" e feito santo do calendário patafísico. André Breton, Jules Romains, Raymond Queneau e Michel Foucault serão leitores atentos de suas obras. Michel Foucault reeditou *La grammaire logique* (Paris: Tchou, 1970) com uma introdução, "Sept propos sur le septième ange" (em *Dits et écrits*, art. citado).

ou seja, a passagem para uma dimensão coletiva? Como articular a des-ordem (quer se trate da desconstrução do código linguístico, da recolocação em causa de uma instituição ou da recusa da objetivação de sua própria identidade) com práticas partilhadas e constitutivas não apenas de uma subjetividade singular, mas também de subjetivações transversais? Logo se vê, o que está em jogo aqui é a transformação de um questionamento sobre a subtração de certos "casos literários" à ordem estabelecida numa investigação bem mais geral sobre as modalidades políticas da resistência: desse ponto de vista, o rugido surdo da batalha é tudo menos uma metáfora *literária*.

Finalmente, a terceira razão se deve ao abandono da figura do "fora", explicitamente reconhecido por Foucault (o fora é um mito), e o reinvestimento do tema da diferença possível dentro da história – dentro das relações de poder, dentro das palavras ao mesmo tempo pronunciadas e padecidas, das imagens partidas e daquelas que, apesar de tudo, não paramos de reproduzir. A questão se torna então esta: como, do próprio interior de certa configuração epistêmica e histórica, do próprio interior da "malha do real", tecida por certa economia dos discursos e das práticas num momento determinado – em suma: do interior de uma gramática do mundo historicamente determinada –, é possível escavar e reverter suas articulações, deslocar suas linhas, mexer seus pontos, esvaziar seus sentidos, reinventar seus equilíbrios? A aposta é, evidentemente, teórica, mas também política: é possível, do próprio interior dessa história que nos faz ser aquilo que somos (ou seja, também: pensar da maneira que pensamos, falar da maneira que falamos, agir da maneira que agimos), liberar-se dessas determinações e arranjar paradoxalmente o espaço (contudo sempre interno) de uma Palavra ou de um modo de vida *diferentes*? Ora, é esse problema, surgido precisamente do trabalho com a literatura, que nunca mais deixará de ser uma obsessão para Foucault: a travessia possível e a determinação histórica daquilo que somos exigem ser pensadas não sob o modo da contradição, mas sob o modo da compossibilidade – estamos bem longe, a partir de então, da transgressão cara a Bataille ou do *fora* blanchotiano.

As enunciações de Foucault sobre a literatura que compõem o presente volume se inscrevem nessa perspectiva; têm um ponto em comum pelo qual sua presença na coleção Audiographie está longe de ser fortuita; foram todas pronunciadas oralmente, num período de menos de 10 anos – entre 1963 e 1970 –, mas cada uma estabelece uma relação particular com a escrita e com a língua. Os dois primeiros documentos são a transcrição integral de dois programas radiofônicos transmitidos em janeiro de 1963; neles, Foucault nos faz escutar diversas citações: Shakespeare, Cervantes, Diderot, Sade, Artaud, Leiris...

O segundo conjunto é formado por uma conferência sobre "Linguagem e literatura" proferida em duas sessões no mês de dezembro de 1964,[22] em Bruxelas, enquanto o terceiro é o volumoso datiloscrito inédito de outra conferência, também dividida em duas partes, pronunciada em 1970 na universidade de Buffalo, nos Estados Unidos, resultado da experimentação oral (repetida ao menos três vezes) de um estudo sobre o Marquês de Sade, e cujos

[22] Segundo Roberto Machado, a conferência ocorreu nos dias 18 e 19 de março de 1964. Cf. MACHADO, Roberto. *Foucault, a filosofia e a literatura.* Rio de Janeiro: Zahar, 2000. Vale ressaltar que essa conferência consta como apêndice do livro de Machado, excelentemente traduzida, mas, por assim dizer, "desoralizada", ao contrário do que tentei fazer aqui. (N.T.)

manuscritos também foram conservados. Ao reuni-los, não é a ironia de uma linguagem sem sujeito, dando um jeito assim mesmo de se dizer, ou aquela de uma escrita branca, obrigada a se fazer Palavra, que gostaríamos de tornar visível: são, pelo contrário, transformados em páginas escritas, alguns elementos de uma inquietude polimorfa pela exterioridade, pela materialidade e pelas astúcias do discurso, inquietude de que Foucault, reticente em se dizer seu autor, fez-se por algum tempo o porta-voz.

Advertência

A presente edição toma como referência transcrições datiloscritas de pronunciamentos públicos feitos por Michel Foucault sob a forma de programas radiofônicos ou de conferências. Oferece delas a exposição mais literal possível. Contudo, a passagem do oral ao escrito exige algumas intervenções do editor. Assim, os erros ou imprecisões da transcrição foram corrigidos ou completados graças aos manuscritos de Foucault, trabalhos preparatórios a esses pronunciamentos. Do mesmo modo, a pontuação e o corte dos parágrafos sofreram intervenções numa busca de legibilidade, mas no mais estrito respeito à intenção foucaultiana. Quando uma palavra é ilegível, seja na transcrição datiloscrita, seja em sua versão manuscrita, o editor o indicou.

Finalmente, o aparato crítico, sob a forma de notas de rodapé, limita-se a mencionar as variantes oriundas do manuscrito quando estas parecem realmente significativas ou quando o datiloscrito mostrava-se lacunar, assim como breves lembretes bibliográficos ou biográficos referentes a autores julgados pouco ou mal conhecidos.

A linguagem da loucura

Nota dos editores

Em 1963, Foucault produz cinco transmissões consagradas às linguagens da loucura num programa radiofônico intitulado L'Usage de la Parole *[O Uso da Palavra], veiculado pela RTF France III National. Jean Doat, homem de teatro e de televisão, ator e escritor, é o realizador do programa. Essas cinco transmissões, que foram ao ar uma vez por semana durante cinco semanas, têm respectivamente por título: "A loucura e a festa" (7 de janeiro de 1963), "O silêncio dos loucos" (14 de janeiro), "A perseguição" (21 de janeiro), "O corpo e seus duplos" (28 de janeiro) e "A linguagem enlouquecida" (4 de fevereiro). Eis o texto de apresentação dessa série produzida por Foucault:*

> Michel Foucault, para fazer a história das sociedades ocidentais, utilizou especialmente essa pedra de toque que é a loucura. Cada sociedade, cada cultura atribui à loucura um lugar muito preciso; prepara de antemão para ela uma estrutura definida: assim, o grupo dos homens ditos "razoáveis" se encontra delimitado por oposição aos loucos em função de seus interditos.
>
> Esta série de transmissões comporta globalmente quatro partes. Na primeira, o autor define os pontos

de irrupção da loucura na linguagem, analisando as diferentes formas das linguagens patológicas. Para isso, utilizou textos escritos por doentes e lidos por atores, assim como gravações de diálogos entre doentes e clínicos.

Na segunda parte, Michel Foucault mostra como a loucura foi representada na linguagem. É assim que ele estuda o personagem do louco na obra de Shakespeare e de Corneille (Éraste em *Mélite, ou les fausses lettres* [Mélite, ou as cartas falsas]).

Na terceira parte, ele trata da experiência da desrazão no próprio interior da linguagem e coloca em evidência certos laços existentes entre a experiência literária e a loucura em escritores como Gérard de Nerval e Raymond Roussel. Este último foi tratado pelo grande psicopatologista Pierre Janet, que estudou seu caso em um de seus livros sob o nome de Martial.[23]

Finalmente, Michel Foucault trata da loucura provocada artificialmente – e ninguém melhor que Henri Michaux poderia ilustrar esse último aspecto da linguagem da loucura.

Escolhemos reproduzir aqui a segunda transmissão, consagrada ao "Silêncio dos loucos", e a última, "A linguagem enlouquecida", por causa da estrutura em espelho que criam e do lugar que a literatura ocupa nelas, ao contrário do que acontece nas três outras, dedicadas mais especificamente à questão da linguagem dos

---

[23] Pierre Janet evocou o caso de Roussel sob o nome de Martial em *Da angústia ao êxtase*, Martial sendo o nome do personagem principal de *Locus solus*, o famoso romance, e posteriormente a peça, de Raymond Roussel: JANET, Pierre. *De l'angoisse à l'extase: études sur les croyances et les sentiments* [Da angústia ao êxtase: estudos sobre as crenças e os sentimentos]. Paris: Alcan, 1926-1928. v. 1: Un délire religieux: la croyance [Um delírio religioso: a crença], v. 2: Les sentiments fondamentaux [Os sentimentos fundamentais].

loucos. Quando Michel Foucault faz os atores lerem citações de textos literários, não fornece edição de referência, o que provoca erros na reprodução do texto lido. No caso de literaturas estrangeiras, em que se coloca o problema da tradução, utilizamos as edições de referência da Pléiade (Editora Gallimard) disponíveis no momento em que Foucault fazia suas transmissões, respeitando os cortes operados pelo próprio Foucault no interior do texto, assinalados por colchetes [...].

O silêncio dos loucos

RTF France III National apresenta O Uso da Palavra. Hoje, "A linguagem da loucura", segunda transmissão [consagrada ao "Silêncio dos loucos"], por Michel Foucault.

Jean Doat: Michel Foucault, você está cometendo uma série de transmissões, no quadro de O Uso da Palavra, sobre a linguagem da loucura, não é mesmo? Confesse. E confessará também que a primeira da série foi ao ar semana passada e tinha por título "A loucura e a festa". Qual é o tema de sua segunda transmissão?

Michel Foucault: Bom, eu gostaria de consagrar essa segunda transmissão a algo que diz respeito ao avesso, ao outro lado da festa, que seria, se quiserem, o silêncio dos loucos. Mas acho que você tem uma objeção a me fazer e queria precisamente que discutíssemos sobre ela, já que, Jean Doat, você é um homem de teatro e mesmo assim topou realizar esse programa. Tenho a impressão de que você não deve estar de acordo comigo sobre a interpretação que ofereci dos respectivos papéis da festa e do teatro em relação à loucura. Quanto a mim, acho que o teatro vira as costas para a festa, vira as costas para a loucura, que ele tenta atenuar os poderes dela, controlar sua força e sua violência subversiva em benefício de uma bela representação. O teatro, no fundo, rasga os participantes, os participantes da festa, para fazer nascer, de um lado, os atores, e então, do outro, os espectadores. Ele substitui a máscara da festa, que é uma máscara de comunicação, por algo que é uma superfície de papelão, de gesso, mais sutil, porém que esconde e separa.

J.D.: Pois bem, vou lhe dizer, não é uma opinião unicamente pessoal. Penso com muitas pessoas, sobretudo com o bom mestre Alain, que o teatro nasceu da necessidade que uma comunidade tem de se expressar diante de si mesma. À medida que ocorrem aperfeiçoamentos, uma parte dessa comunidade se torna profissional e passa a se chamar autor, ator, cenógrafo e todas as profissões que servem ao espetáculo, e a outra parte a se chamar espectador. Mas acredito que Alain, que chamo em meu auxílio, pois acho que você gosta dele, acredito que Alain não se esqueceu de colocar também o momento do espetáculo dentro da festa e da cerimônia. De minha parte, acho que o teatro nunca é tão belo quanto nos momentos em que se faz fora dos lugares criados para ele. Pense nos festivais, pense nas representações diante de certas paisagens, diante de certos átrios de catedrais. No fundo, acredito simplesmente que há sempre essa espécie de equilíbrio a buscar entre a força apolínea e a força dionisíaca.

M.F.: E você acha que o teatro está do lado do dionisíaco, ao passo que eu acho que ele está mais do lado do apolíneo.

J.D.: Na realidade, penso simplesmente que o teatro é, como toda arte, só que mais que qualquer outra arte, uma busca de superação do homem, e que o homem se reconhece nesse personagem que se supera no teatro.

M.F.: Pois bem, escute, o que acha de fazermos uma experiência? E se ouvíssemos uma cena do *Rei Lear*, a grande cena de loucura do *Rei Lear*, a cena na charneca? Assim, talvez pudéssemos julgar melhor e fazer dos ouvintes juízes de nosso debate.[24]

> Lear: Soprai, ventos, até rebentar vossas bochechas. Enfurecei-vos! Soprai! Trombas e cataratas do céu, jorrai, até cobrir nossos campanários, até afogar seus galos; fogos sulfurosos, velozes como o pensamento, precursores do raio que racha os carvalhos, chamuscai minha cabeça branca! E tu, trovão que tudo abala, achata a grossa redondez do mundo! Estoura os moldes da natureza, destrói de uma vez por todas os germes de que brota o ingrato homem!
>
> Bobo: Titio, mais vale falsa água benta numa casa seca que essa água de chuva a descoberto. Voltemos, tiozinho, pede a benção a tuas filhas; esta noite não tem pena nem do bobo nem do sábio.
>
> Lear: Arrota, barriga cheia! Escarra, fogo! Jorra, chuva! Chuva, vento, trovão ou fogo não são minhas filhas: não vos culpo, elementos, de ingratidão; nunca vos dei qualquer reino nem vos chamei de filhos; não me deveis obediência alguma: deixai portanto fluir vosso

[24] SHAKESPEARE, William. *Le Roi Lear*, ato III, cena 2. Tradução de Pierre Leyris e Elizabeth Holland. In: *Œuvres complètes*. Paris: Gallimard, 1959. t. 2. (Bibliothèque de la Pléiade) (versão utilizada por Foucault em sua transmissão). [Traduzi esse trecho do original inglês disponível em http://goo.gl/XKmHVH em cotejo com a versão francesa utilizada por Foucault. Existem pelo menos sete traduções do *Rei Lear* para o português, como o leitor pode averiguar na página do Instituto Shakespeare Brasil: http://goo.gl/xXY4xW. (N.T.)]

horrendo prazer; aqui estou, vosso escravo, pobre velho doente, fraco e desprezado! Mas vos declaro ministros servis por terem aliado a duas filhas perniciosas vossos batalhões engendrados nas nuvens contra uma cabeça tão velha e branca. Oh! Oh! Isso é sórdido.

Bobo: Quem tem casa para meter a cabeça tem um bom chapéu:

Se a braguilha acha casa
Antes que a cabeça o faça,
Piolhos comerão as duas,
Como aos mendigos das ruas.
Quem faz do seu dedão
O que era do coração,
Calos o farão gemer
E a insônia padecer.

Pois nunca houve mulher bonita que não fizesse boquinhas na frente do espelho.

Entra Kent.

Lear: Não, serei de uma paciência exemplar. Nada direi.

Kent: Quem está aí?

Bobo: Arre! Sua graça e uma braguilha, ou seja, um sábio e um bobo.

Kent: Ai de nós, senhor, então estais aqui? Mesmo aqueles que amam a noite não amam noites como esta; os céus em cólera intimidam até os andarilhos das trevas, que sequer saem de seus covis. Desde que me conheço por gente, tamanhas massas de fogo, tamanhos estrondos de hórrido trovão, tamanhas queixas uivadas pelo vento e pela chuva não me lembro de ter ouvido: a natureza humana não pode suportar tal aflição, tal medo.

Lear: Que os grandes deuses que mantêm essa terrível convulsão sobre nossas cabeças descubram seus inimigos agora. Treme, miserável, que carregas crimes não divulgados, não fustigados pela justiça; esconde-te, mão ensanguentada; e tu, perjuro; e tu que finges a virtude no incesto; patife, treme até rachar, tu que sorrateiro e sob uma aparência decente atentaste contra a vida do homem; culpas estreitamente reprimidas, rasgai os continentes que vos escondem e clamai pela graça desses terríveis justiceiros. Sou um homem mais atingido pelo pecado do que pecador.

KENT: Ai de nós, cabeças nuas! Meu gracioso senhor, aqui perto há uma cabana. Ela lhe emprestará alguma amizade contra a tempestade; repousai ali, enquanto àquela dura casa – mais dura que a pedra de que foi construída, e que ainda há pouco, quando ali fui perguntar por vós, negou-me acesso – retorno e forço sua avara cortesia.

LEAR: Meu entendimento começa a variar. Venha, meu garoto. Como te sentes? Tens frio? Eu sim. Onde está essa palhoça, companheiro? A arte de nossas necessidades é estranha, que torna preciosas as coisas vis. Vamos para a cabana. Pobre bobo e criado, parte de meu coração ainda se apieda de ti.

Parece-me, Jean Doat, que essa cena que acabamos de escutar nos dá razão a ambos, e isso não chega a ser surpreendente, já que *Rei Lear* é provavelmente a raríssima, a solitária expressão de uma experiência plena e completamente trágica da loucura. Ela não tem equivalente, nenhum equivalente, numa cultura como a nossa, porque nossa cultura sempre teve o cuidado, no fundo, de manter a loucura afastada e de lançar sobre ela o olhar um pouco distante, sempre justificado, apesar de eventuais complacências, do cômico.

Mas veja já esse sutil rasgo que se constata na linguagem de Cervantes.

O trágico de Dom Quixote não habita a própria loucura do personagem, não é a força profunda de sua linguagem. O trágico em *Dom Quixote* se situa no pequeno espaço vazio, nessa distância, por vezes imperceptível, que permite não apenas aos leitores, mas também aos outros personagens, a Sancho e, no final, ao próprio Dom Quixote ter consciência dessa loucura.

E então, essa cintilação, inquietante e pálida, que oferece a Dom Quixote e lhe retira ao mesmo tempo uma luz sobre a loucura, ela é muito diferente do sofrimento do rei Lear, que, ele, mesmo do fundo de sua loucura, sabia que estava caindo nela, e que aquela era uma queda que não se deteria antes da morte. Dom Quixote, pelo contrário, pode sempre se virar, está sempre a um passo de se virar para sua própria loucura.

A coisa está ali, ele vai se dar conta, e então não, ele continua a se cegar, e aí acaba vindo mesmo assim o momento em que essa reviravolta se fará, mas a lei trágica de sua loucura quer que essa reviravolta, essa consciência brusca de sua própria loucura, como ao sair de uma febre, pois bem, ela desemboca na morte e na certeza incontornável da morte.[25]

> Porque, seja pela melancolia que lhe causava verse vencido, seja pela disposição do céu, que assim o ordenava, arraigou-se nele uma quentura que o manteve seis dias na cama, durante os quais foi visitado

[25] A versão lida pelos atores não é a que figura aqui. CERVANTES, Miguel. Comment don Quichotte tomba malade, du testament qu'il fit, et de sa mort. In: *L'Ingénieux Hidalgo don Quichotte de la Manche*, II, LXXIV. Tradução de César Oudin e François Rosset, revista, corrigida e anotada por Jean Cassou. Paris: Gallimard, 1956 [1949]. (Bibliothèque de la Pléiade). [Traduzi os trechos citados direto do original espanhol: De como don Quijote cayó malo, y del testamento que hizo, y su muerte. In: *El ingenioso Hidalgo Don Quijote de la Mancha*, Livro II, 74, disponível em http://goo.gl/GOXhT2. (N.T.)]

muitas vezes pelo pároco, pelo bacharel e pelo barbeiro, seus amigos, sem que Sancho Pança, seu bom escudeiro, saísse de sua cabeceira. [...] Dizendo-lhe o bacharel que se animasse e levantasse, para começar seu exercício pastoral, para o qual já tinha composto uma écloga, que não ficava a dever nada a quantas Sanazaro compusera, e que já tinha comprado com seu próprio dinheiro dois belos cachorros para guardar o gado: um chamado Barcino, o outro Butrón, de um pastor do Quintanar. Mas, mesmo assim, Dom Quixote não deixava suas tristezas. [...]

Rogou Dom Quixote que o deixassem sozinho, porque queria dormir um pouco. Assim fizeram, e ele dormiu de uma estirada, como se diz, mais de seis horas; tanto que sua sobrinha e a governanta pensaram que continuaria dormindo para sempre. Despertou ao cabo do referido tempo e, em voz muito alta, disse: "Bendito seja o poderoso Deus, que tanto bem me fez! [...] Já tenho juízo, livre e claro, sem as sombras caliginosas da ignorância, que sobre ele pôs minha amarga e contínua leitura dos detestáveis livros das cavalarias. Já conheço seus disparates e embustes. [...] Sinto-me, sobrinha, a ponto de morrer; queria fazê-lo de tal modo que desse a entender que minha vida não foi tão má que deixe um renome de louco, que, posto que o fui, não queria confirmar essa verdade em minha morte". [...]

Olharam uns para os outros, admirados das razões de Dom Quixote, e, embora em dúvida, quiseram acreditar nele; e um dos sinais pelos quais conjeturaram que estava morrendo foi ter voltado com tanta facilidade de louco a cordato. [...]

Enfim, chegou o último dia de Dom Quixote, depois de recebidos todos os sacramentos, e depois de ter abominado com muitas e eficazes razões os livros de cavalarias. Achou-se o escrivão presente e disse

> que nunca havia lido em nenhum livro de cavalarias que algum cavaleiro andante tivesse morrido em seu leito tão sossegadamente e tão cristão como Dom Quixote; o qual, entre compaixões e lágrimas dos que ali se acharam, deu seu espírito: quero dizer que morreu. [...]
>
> Esse fim teve o Engenhoso Fidalgo de la Mancha [...]. Deixamos de colocar aqui os prantos de Sancho, da sobrinha e da governanta de Dom Quixote, e os novos epitáfios de sua sepultura, embora Sansón Carrasco tenha posto este:
>
> Jaz aqui o Fidalgo forte
> que a tamanho extremo chegou
> de valente, que se adverte
> que a morte não triunfou
> de sua vida com sua morte.
> Teve a todo mundo em pouco;
> foi o espantalho e o papão
> do mundo, em tal conjuntura,
> que acreditou sua ventura
> morrer cordato e viver louco.

Esse epitáfio, e todo o final de *Dom Quixote*, provam uma coisa: agora, a loucura e a consciência da loucura são como a vida e a morte. Uma mata a outra. A sabedoria bem pode falar da loucura, mas falará dela como de um cadáver. A loucura, em contrapartida, vai permanecer muda, puro objeto para um olhar divertido. E durante toda a época clássica, os loucos vão fazer parte de uma paisagem social, de uma paisagem social pitoresca que serve no máximo para relançar uma inquietação cética: no fim das contas, eu mesmo poderia estar louco, mas não tenho como saber isso, já que a loucura é inconsciente e que, todos os outros estando loucos, não tenho nenhuma referência para saber se estou ou não.

Mas esses são caprichos de ociosos e exercícios de espíritos sutis ou tortuosos. O que me interessa nessa idade clássica é um fato de massa, um fato histórico surdo, que permaneceu por muito tempo silencioso. Talvez ele não seja muito importante para a história dos historiadores. Para mim, parece de grande peso para quem quer fazer a história de uma cultura. Ei-lo.

Num dia de abril de 1657, cerca de seis mil pessoas foram detidas em Paris. Seis mil pessoas na Paris do século XVII representavam mais ou menos um centésimo da população. É como se, por exemplo, detivessem algo como 40 mil pessoas na Paris de hoje. Não é pouca coisa, e daria o que falar.

Essa gente era levada para o Hospital Geral. Por quê? Bom, porque eram desempregados, mendigos, inúteis, eram libertinos, excêntricos, eram também homossexuais, loucos, insensatos. E eram enviados para o Hospital Geral sem que, em qualquer momento, tivesse sido tomada contra eles alguma medida jurídica precisa. Era uma simples precaução de polícia, uma ordem do rei, ou ainda, o que é mais grave, a meu ver, uma simples súplica da família, que bastava para enviar toda essa gente para o hospital, e por toda a vida. Esse hospital evidentemente nada tinha de hospitaleiro, era bem mais uma espécie de grande prisão onde as pessoas ficavam em detenção preventiva, só que muitas vezes por toda a vida.

Essa prática durou quase um século e meio, e, desse enorme ritual de exclusão, que, aliás, raramente foi interrogado, guardaram-se apenas alguns registros poeirentos que se encontram atualmente na biblioteca do Arsenal. E o que se vê nesses registros? Pois bem, a longa rapsódia dos motivos de internação.

Acredito que eles merecem ser escutados, esses decretos que a razão, que a razão de Estado – vale dizer, no fim das contas, a razão da polícia – e a razão das pessoas de todos os dias faziam incidir sobre a loucura dos outros.

Eis aqui, por exemplo, alguns motivos de internação para o mês de janeiro de 1735:

> 3 de janeiro de 1735, BAR Catherine, é uma prostituta pública que causa muita desordem em seu bairro.
>
> 6 de janeiro, FORRESTIER Jean-Pierre, cai com frequência em frenesi, razão pela qual foi condenado em Rouen a ser enclausurado.
>
> 10 de janeiro, GAUSTIER Étienne, é um libertino que maltrata sua mulher com crueldade e procura todos os meios de fazer com que seja assassinada.
>
> 17 de janeiro, MALBERT, é conhecido há muito tempo como um sujeito perigoso e baderneiro que só tem como profissão sustentar lugares mal frequentados. Vivia ultimamente com a chamada Labaume e fez diversas tentativas de assassinar o marido desta.
>
> 19 de janeiro, TABLECOURT, tem o espírito alienado.
>
> 19 de janeiro, FRANÇOIS Antoine, foram encontradas na casa dele mercadorias que ele admitiu ter roubado de diversos mercadores.
>
> 24 de janeiro, LATOUR Dupont Joseph, é um furioso que foi condenado ao suplício da roda por um assassinato e que é totalmente maluco.
>
> 25 de janeiro, GUILLOTIN Michel, é um sujeito violento que maltrata sua mulher com crueldade, que quebrou seus móveis, que insulta seus vizinhos, que insulta seu pai e sua mãe e instiga contra eles um grande cachorro.
>
> 31 de janeiro, LAPORTE Charlotte, é uma convulsionária.

> 31 de janeiro, ROUSSEAU Marie-Jeanne, ela é louca e sem esperança de retorno.
>
> 31 de janeiro, DUVAL, é um insensato.
>
> 31 de janeiro, MIGNERON Anne, ela é criada do senhor Buquet, de quem está grávida.
>
> 31 de janeiro, DUBOS Jean-François, não para de maltratar sua mulher, que ele arruína e reduziu à miséria com um filho. Ele se entrega a todo tipo de devassidão.

Vejam o quanto a razão é lacônica e imperativa quando julga o contrário de si mesma. Foi o que ela fez durante todo o período clássico. E, no entanto, quem estica o ouvido pode perceber um surdo murmúrio, como se a loucura, mesmo durante todo esse período do racionalismo clássico, buscasse recompor sua linguagem, reencontrar a velha comunhão dionisíaca, e ela invoca essa experiência perdida, menos, decerto, através de palavras que de gestos, gestos em que se anunciam ao mesmo tempo o júbilo de seu novo nascimento e sua miséria por estar há tanto tempo privada de voz.

E Diderot, talvez o filósofo mais atento do século XVIII, viu essa experiência se reconstituir debaixo dos seus olhos, numa pura gesticulação atravessada por gritos, barulhos, sons, lágrimas, risos, como uma espécie de grande brasão sem palavra da loucura, e é isso a dança de O *sobrinho de Rameau*[26]:

> E ei-lo então que começa a passear, murmurando em sua goela algumas das canções da *Ilha dos loucos*, do *Pintor apaixonado por seu modelo*, do *Ferrador*, da

[26] DIDEROT, Denis. *Le neveau de Rameau*. Editado por Jean Fabre. Genève; Lille: Droz-Giard, 1950. [edição brasileira: *O sobrinho de Rameau*. Tradução de Bruno Costa. São Paulo: Hedra, 2007.]

Litigante, e de tempos em tempos exclamava, erguendo as mãos e os olhos para o céu: Como isso é bonito, com os diabos! Como isso é bonito! Como alguém pode ter um par de orelhas e fazer semelhante pergunta? Ele começava a entrar em transe e a cantar bem baixinho. Elevava o tom à medida que o transe se tornava mais profundo; vieram a seguir os gestos, as caretas do rosto e as contorções do corpo; e eu disse, bom; eis a cabeça que se perde e alguma cena nova que se prepara; com efeito, ele explode em gritos: "Sou um pobre miserável... Monsenhor, monsenhor, deixai-me partir... Ó terra, recebe meu ouro, conserva bem meu tesouro... Minha alma, minha alma, minha vida! Ó terra!... Ali está o namorado; ali está o namorado! *Aspetare e non venire... A Zerbina penserete... Sempre in contrasti con te si sta...*". Ele amontoava e embaralhava junto trinta canções, italianas, francesas, trágicas, cômicas, de todos os tipos de caracteres; ora, com uma voz de baixo profundo, descia até os infernos; ora, esgoelando-se, e arremedando o falsete, dilacerava o alto dos céus, imitando o jeito de andar, o porte e o gesto de diferentes personagens cantantes; sucessivamente furioso, dócil, imperioso, sarcástico. Aqui é uma rapariga que chora, e ele faz todos seus trejeitos; ali vira padre, é rei, tirano, ameaça, comanda, arrebata-se; é escravo, obedece. Aplaca-se, desola-se, queixa-se, ri; nunca fora do tom, do ritmo, do sentido da letra e do caráter da canção. Todos os jogadores de xadrez tinham deixado seus tabuleiros e se reunido ao redor dele; as janelas do café estavam ocupadas, do lado de fora, pelos passantes que tinham parado por causa do barulho. Davam-se gargalhadas de fazer cair o telhado. Ele não percebia nada; continuava, presa de uma alienação de espírito, de um entusiasmo tão próximo da loucura, que é duvidoso que volte; se não será preciso jogá-lo num fiacre e levá-lo direto para o hospício das Petites

Maisons. Cantando um fragmento das *Lamentations* de Ioumelli, repetia com uma precisão, uma verdade e um calor inacreditáveis os mais belos trechos de cada canção; aquele belo recitativo obrigatório em que o profeta pinta a desolação de Jerusalém, ele o regou com uma torrente de lágrimas que arrancou outra a todos os olhos. Estava tudo ali, a delicadeza do canto, a força de expressão e a dor. Acentuava os trechos em que o músico se mostrara particularmente um grande mestre; se deixava a parte do canto, era para reproduzir a dos instrumentos, que subitamente abandonava para voltar à da voz; entrelaçando uma à outra, de maneira a conservar as ligações e a unidade de tudo; apossando-se de nossas almas e mantendo-as suspensas na situação mais singular que jamais experimentei... Admirava eu? Sim, admirava! Estava tocado pela piedade? Estava tocado pela piedade; mas uma pitada de ridículo se misturava a esses sentimentos, desnaturando-os.

Mas teríeis caído na gargalhada diante da maneira como ele contrafazia os diversos instrumentos. Com as bochechas inchadas e túrgidas, e um som rouco e sombrio, reproduzia as trompas e os trombones; assumia um som estridente e anasalado para os oboés; precipitando sua voz com uma rapidez incrível para os instrumentos de corda, de que buscava os sons mais aproximados; assobiava as pequenas flautas; arrulhava as transversas, gritando, cantando, contorcendo-se como um alucinado, fazendo sozinho os dançarinos, as dançarinas, os cantores, as cantoras, toda uma orquestra, todo um teatro lírico, e dividindo-se em vinte papéis diferentes, correndo, detendo-se, com o aspecto de um energúmeno, soltando faíscas dos olhos e espuma da boca. Fazia um calor de matar; e o suor que acompanhava as rugas de sua testa e descia por sua face misturava-se ao pó de seus cabelos, escorria e sulcava o alto de sua casaca.

Esse sobrinho de Rameau, esse estranho personagem, parece-me que seu perfil, no fim do século XVIII, desenha uma simetria em relação ao de um homem, entretanto bastante diferente, que é Sade.

Em Sade, provavelmente não há nada do que encontramos no sobrinho de Rameau. O discurso de Sade, pois bem, é esse discurso infinito, meticuloso, inesgotável, rigorosamente controlado em suas menores articulações. E acredito que à pantomima do sobrinho de Rameau, que é rejeitado em toda parte, expulso por seus protetores, que corre as ruas atrás de um jantar, ou de um cachê, e que evoca a loucura com seus gestos, responde como figura simétrica e inversa a grande imobilidade de Sade. Sade, cuidadosamente enclausurado por 40 anos e que não parou de falar, ele, o discurso puro de uma loucura pura, de uma loucura sem gesto, sem excentricidade, a pura loucura de um coração desmedido.

E eis justamente que essa Palavra tão racional de Sade, tão infinitamente raciocinante, eis que ela reduziu nossa razão, a razão que é a nossa, ao silêncio, ou ao menos a um embaraço, a um balbucio.

Nossa razão não pode mais encontrar o belo ardor com que decretava. É preciso escutar, por exemplo, o embaraço do pobre médico de Charenton que se chamava Royer-Collard e que, nomeado para aquele hospício, para aquele lugar que acabava de ser transformado precisamente em asilo para doentes mentais, descobriu alguém que se chamava Sade.

É ele que fica enlouquecido então, ou no mínimo inquieto, e escreve imediatamente ao ministro da Polícia, a Fouché – é o homem de ciência que se endereça ao homem de Estado, vale dizer, a razão que invoca ainda a razão –, escreve para lhe dizer que Sade não deve ser mantido num asilo de loucos, porque Sade não é louco.

Ou, antes, que ele é louco, mas de uma loucura que não é uma loucura; ou, antes, de uma loucura que é pior que uma loucura, já que é razoável e lúcida, e lúcida de uma lucidez que contradiz toda razão e que finalmente reencontra a loucura. Enfim, o bom Royer-Collard não consegue sair daquela enrascada, sentindo-se no fundo de um abismo de que nós mesmos, talvez, ainda não tenhamos saído.

> Monsenhor,
>
> Tenho a honra de recorrer à autoridade de Vossa Excelência em razão de um objeto de interesse essencial para minhas funções, assim como para a boa ordem da casa cujo serviço médico me foi confiado. Existe em Charenton um homem a quem sua audaciosa imoralidade infelizmente tornou demasiado célebre, e cuja presença nesse hospício acarreta os mais graves inconvenientes: quero falar do autor do infame romance *Justine*. Esse homem não é um alienado. Seu único delírio é o do vício, e não é de modo algum numa casa consagrada ao tratamento médico da alienação que essa espécie de delírio pode ser reprimida. É preciso que o indivíduo atingido por ele seja submetido ao isolamento mais severo, seja para colocar os outros a salvo de seus furores, seja para isolar a ele mesmo de todos os objetos que poderiam exaltar ou manter acesa sua hedionda paixão. Ora, a casa de Charenton não preenche nem uma nem outra dessas duas condições. O Sr. de Sade goza nela de uma liberdade grande demais. [...]
>
> Só o que posso dizer a Vossa Excelência é que uma casa de segurança ou um castelo forte conviriam muito mais a ele que um estabelecimento consagrado ao tratamento dos doentes, que exige a vigilância mais assídua e as precauções morais mais delicadas.

Vocês me dirão que essa carta de Royer-Collard a Fouché é um tanto banal e ordinária. E não se depreende grande sentido dela. Pois bem, eu acho que se depreende sim. Essa carta, por todas as contradições de que está cheia, acho que ela indica, ela indica algo que, em nossa cultura, foi de um grande peso. Refiro-me a esse embaraço, esse embaraço que não nos deixa mais desde o século XIX, diante da loucura e diante da linguagem da loucura.

Essa carta é a constatação, no fundo, de que essa loucura que fora tão bem cingida, catalogada, internada no Hospital Geral, pois bem, agora não se encontra mais um lugar preciso para se atribuir a ela. Não se sabe mais de onde ela vem nem aonde ela vai. Ela não tem mais lar nem lugar, não tem mais fé nem lei.

Então sonha-se, é claro, sonha-se com uma fortaleza fantástica onde se pudesse enclausurá-la para sempre. É o que deseja esse bom médico que é Royer-Collard. Mas, no fundo, bem se sabe que não existe esse castelo forte de nossa absoluta tranquilidade que reduziria para sempre a loucura ao silêncio.

Desde então, desde essa incansável linguagem de Sade, pois bem, um vazio foi escavado sob nossas Palavras, de onde nos vem incessantemente uma linguagem imprevista. Não é mais, decerto, aquela linguagem da comunhão dionisíaca que constatamos e que escutamos no século XVI; é uma linguagem bem mais difícil, bem mais sutil, bem mais surda. Uma linguagem que parte e fala de uma ausência, de um mundo vazio. Ela era, em Sade, o oco do desejo jamais aplacado. Creio que é, em alguém como Artaud, uma espécie de vazio central, esse vazio fundamental onde as palavras faltam, onde o pensamento falta a si mesmo, rói sua própria subsistência, desaba sobre si mesmo. E é aí, nessa impossibilidade de falar, nessa impossibilidade de pensar, nessa impossibilidade de encontrar suas palavras que a loucura, em nossa cultura, reencontra seu direito soberano à linguagem.

Contudo, não sem um último desvio. A loucura pode falar, mas sob a condição de que tome a si mesma por objeto. O que quer dizer que ela se oferece – em segundo grau, não limitada a si mesma, ela bem que diz "eu" –, mas numa espécie de primeira pessoa desdobrada. E acho que a correspondência entre Artaud e Rivière é um acontecimento importante, que marca data. Rivière que recebeu poemas que Artaud queria publicar na *NRF*; Rivière que, entretanto, pensava que aqueles poemas não podiam ser publicados. Então Artaud responde, e ele queria a todo custo fazer seus poemas serem escutados. E para fazê-los escutar, ele se volta para esse desmoronamento de pensamento de onde nascem esses poemas. Eis que Rivière, que não tinha escutado os poemas, eis que ele escuta, agora, a explicação que é fornecida deles, e a explicação por parte de Artaud da impossibilidade em que se vê de escrever poemas. E, finalmente, essa explicação se torna documento, se torna poema puro, linguagem segunda, primeira talvez, e é essa linguagem que vai constituir a obra extraordinária que é a correspondência de Artaud e de Rivière.

5 de junho de 1923

Senhor,

Gostaria, sob o risco de o importunar, de voltar a alguns termos de nossa conversa desta tarde. É que a questão da aceitabilidade desses poemas é um problema que lhe interessa tanto quanto a mim.

Falo, é claro, de sua aceitabilidade absoluta, de sua existência literária. Sofro de uma pavorosa doença do espírito. Meu pensamento me abandona em todos os graus. Desde o fato simples do pensamento até o fato exterior de sua materialização nas palavras. Palavras, formas de frases, direções interiores do pensamento, reações simples do espírito, estou na busca constante de meu ser intelectual. Quando, portanto, *consigo apreender uma forma*, por mais imperfeita que seja, fixo-a, no temor de perder todo o pensamento. Estou abaixo de mim mesmo, sei disso, sofro por isso, mas consinto nisso com medo de morrer completamente.

Tudo isso, que está muito mal dito, corre o risco de introduzir um terrível equívoco em seu julgamento sobre mim. É por isso que, em atenção ao sentimento central que me dita meus poemas e às imagens ou torneios fortes que pude encontrar, proponho, apesar de tudo, esses poemas à existência. Esses torneios, essas expressões inoportunas que o senhor me censura, eu as senti e aceitei. Lembre-se: não as contestei. Elas provêm da incerteza profunda de meu pensamento. Bem feliz quando essa incerteza não é substituída pela inexistência absoluta de que sofro às vezes.

Aqui ainda temo o equívoco. Gostaria que o senhor compreendesse bem que não se trata desse mais ou menos de existência que se desprende daquilo que se costuma chamar de inspiração, mas de uma ausência total, de uma verdadeira perdição.

É por isso ainda que lhe disse que não tinha nada, nenhuma obra em suspenso, as poucas coisas que lhe apresentei constituindo os retalhos que pude conquistar sobre o Nada completo. [...]

Trata-se para mim de nada menos do que saber se tenho ou não o direito de continuar a pensar, em verso ou em prosa.

Antonin Artaud

24 de maio de 1924

Caro senhor,

Tive uma ideia a que resisti por algum tempo, mas que decididamente me seduz. Medite-a por sua vez. Desejo que ela lhe agrade. Ela deve, aliás, ainda ser lapidada. Por que não publicar a ou as cartas que o senhor me escreveu? Acabo de reler mais uma vez aquela de 29 de janeiro. Ela é verdadeiramente notável. Haveria apenas um pequeno esforço de transposição a fazer, quero dizer que daríamos ao destinatário e ao signatário nomes inventados. Talvez eu pudesse redigir uma resposta baseada naquela que lhe enviei, só que mais desenvolvida, e menos pessoal. Talvez pudéssemos também introduzir um fragmento de seus poemas ou de seu ensaio sobre Uccello. O conjunto formaria um pequeno romance epistolar, que seria bastante curioso.

Dê-me sua opinião e, enquanto isso, acredite-me bem seu,

Jacques Rivière

25 de maio 1924

Caro senhor,

Por que mentir, por que tentar colocar no plano literário uma coisa que é o próprio grito da vida, por que dar aparências de ficção àquilo que é feito da substância inextirpável da alma, que é como a queixa da realidade? Sim, sua ideia me agrada, regozija-me, cumula-me, mas sob a condição de oferecer àquele que nos lerá a impressão de que não assiste a um trabalho fabricado.

Temos o direito de mentir, mas não sobre a essência da coisa, não faço questão de assinar a carta com meu nome, mas é absolutamente necessário que o leitor pense ter entre as mãos os elementos de um romance vivido. Seria preciso publicar minhas cartas da primeira até a última e remontar para tanto até o mês de junho de 1923. É preciso que o leitor tenha em mãos todos os elementos do debate.

Antonin Artaud

E, por esse último desvio, nossa cultura reencontra enfim um ouvido para essa linguagem que jamais se cansou e que desorienta a nossa. E penso que é graças a esse trabalho subterrâneo da loucura na linguagem, contra a linguagem; da loucura para recuperar sua própria linguagem; parece-me que é todo esse trabalho subterrâneo que nos permite agora escutar com um ouvido fresco, com um ouvido primeiro este poema de um doente que Ruspoli,[27] também ele, ouviu, um dia, no hospital de Saint-Alban.

Contraste
a neve sobre o mar
os pedaços brancos, os guaiamus
Imagem
jogos de carta
areais de cor
os panos.

Tapeçaria cujos personagens são gerações vivas.

Bom, a natureza cria.

– Então, aí, peço que me acompanhem, porque me disseram que estava louco porque pretendo que a

[27] Mario Ruspoli (1925-1986), cineasta, documentarista, fotógrafo e escritor de origem italiana que trabalhou essencialmente na França e realizou, especialmente, em 1962, um *Regard sur la foile* [Olhar sobre a loucura], filme resultante de suas frequentes visitas ao hospital psiquiátrico de Saint-Alban.

natureza crie. Bom. *A Vitória de Samotrácia*, foi por isso que me disseram que estava louco. Ela fende o azul. Vendo-a, é difícil acreditar que tenha saído da mão dos homens, não que o homem não seja capaz do admirável, mas, e não sei de onde me vem esta certeza, há nela alguma coisa que [ultra]passa as obras do homem. Então: um traço, uma linha, uma luz, que sai dela e volta para ela, a irradia. Ela não é criada, ela cria. Eis aí. Isso está fora de tudo. Ninguém diria que a montanha Sainte-Victoire, onde Cézanne passeou seu incomparável olhar, foi obra dele, mas *A Vitória de Samotrácia*, ela, só pôde sair da mão dos deuses. Um azul teológico, nos confins da Île-de-France e da Beauce. De repente o céu tinha ficado de um azul tênue, de um azul das miniaturas da Idade Média, um azul das miniaturas do duque de Berry, um azul teológico. Onde estava a mão, a mão, se quiserem, do criador?

Após o poema terminou.

RTF France III National apresentou "A linguagem da loucura", segunda transmissão consagrada ao "Silêncio dos loucos", por Michel Foucault. Com Roger Blin, René Clermont, Alain Cuny e Claude Martin. Som: Pierre Simon; assistente: Marie-André Armineau; realização: Jean Doat. Este foi O Uso da Palavra.

A linguagem enlouquecida

"A linguagem da loucura", por Michel Foucault. Hoje, "A linguagem enlouquecida". Realização: Jean Doat.

Há, acredito, uma ideia simples e que é mais ou menos familiar a todos nós. Costuma-se pensar que o louco, pois bem, ele é louco antes mesmo de falar, e que é do fundo dessa loucura, dessa loucura originariamente muda, que ele deixa emergirem, *a posteriori* de certo modo, e rodopiarem ao redor dele as palavras obscuras de seu delírio, como um bando de moscas cegas.

Pois bem, o que tentei nesses programas, oh, evidentemente, não demonstrar, mas simplesmente fazer ouvir – e gostaria de deixar essa palavra "ouvir"[28] hesitar em suas significações múltiplas –, o que estava tentando fazer ouvir é que, entre a loucura e a linguagem, o parentesco não é simples nem de pura filiação, mas que a

[28] Em francês, *entendre*: ouvir, escutar, mas também entender, compreender, perceber, aceitar, consentir, pretender, querer, desejar... (N.T.)

linguagem e a loucura estão ligadas, muito mais, num tecido emaranhado e inextricável onde a divisão, no fundo, não pode ser feita.

Tenho a impressão, se quiserem, de que, muito fundamentalmente, em nós, a possibilidade de falar e a possibilidade de ser louco são contemporâneas e como que gêmeas, que elas abrem, sob nossos passos, a mais perigosa, mas talvez também a mais maravilhosa ou a mais insistente de nossas liberdades.

No fundo, mesmo se todos os homens do mundo fossem razoáveis, ainda haveria, sempre, a possibilidade de atravessar o mundo de nossos signos, o mundo de nossas palavras, de nossa linguagem, de embaralhar seus sentidos mais familiares e colocar, por meio apenas do miraculoso jorrar de algumas palavras que se entrechocam, o mundo de través.

Todo homem que fala faz uso, ao menos em segredo, da absoluta liberdade de ser louco, e, inversamente, todo homem que é louco e que parece, por isso mesmo, ter se tornado absolutamente estrangeiro à língua dos homens, também este, acredito, é prisioneiro no universo fechado da linguagem.

Vocês me dirão que loucura e linguagem talvez não estejam tão originariamente ligadas, e poderiam me fazer muitas objeções. Poderiam me objetar justamente, pois bem, essas pessoas de que eu falava na semana passada e que viam desabrochar silenciosamente, nelas, em seus corpos, como num aquário, as grandes imagens mudas de seus delírios; ou, ainda, poderiam me objetar também esses perseguidos de que falei há duas semanas e que se sentiam acossados por uma vigilância, por um olhar anônimo, que se sabiam acuados bem antes de poderem articular, numa acusação delirante, esse sentimento.

Pois bem, acho que se pode responder uma coisa: que as loucuras, mesmo quando mudas, passam, e passam sempre, pela linguagem. Que elas não são talvez nada mais que a estranha sintaxe de um discurso.

Por exemplo, sabe-se hoje que o perseguido que escuta vozes pronuncia ele próprio essas vozes. De fato, ele tem a impressão de que elas vêm do exterior, mas, na realidade, um aparelho de gravação que se pode fixar à altura de sua laringe basta para provar que ele mesmo pronunciou essas vozes. De modo que as ameaças que ele escuta, por um lado, e, por outro, as injúrias ou as queixas com que responde nunca são mais que as fases, ou, se quiserem, as frases, de uma mesma trama verbal.

Também se sabe hoje que o corpo, o próprio corpo, pois bem, é como um nó de linguagem. Esse profundo ouvinte que era Freud compreendeu bem que nosso corpo, muito mais, no fundo, que nossa mente, era um fazedor de chistes, que ele era uma espécie de mestre artesão em metáforas que aproveitava todos os recursos, todas as riquezas, todas as pobrezas de nossa linguagem. Sabemos que uma histérica paralisada, se ela se deixa cair quando a colocam de pé sobre suas pernas, é porque, do fundo de sua existência, tem o sentimento de estar fadada à queda desde o dia em que alguém, como se diz, a *deixou cair.* Mas é com seu corpo que ela exprime isso.

Pois bem, se temos dificuldade em nos comunicar com os loucos, decerto não é porque eles não falam, mas talvez justamente porque falam demais, com uma linguagem sobrecarregada, numa espécie de profusão tropical dos signos, em que todos os caminhos do mundo se confundem.

Mas então se coloca uma questão: por que essa linguagem da loucura, hoje em dia, assumiu de repente tamanha importância? Por que em nossa cultura, agora, esse interesse tão intenso por todas essas palavras, todas essas palavras incoerentes, insensatas e que, talvez, trazem consigo um sentido muito mais pesado?

Creio que se poderia dizer isto: que, no fundo, hoje não acreditamos mais na liberdade política, e o sonho, o famoso sonho de um homem desalienado virou motivo de escárnio. De tantas quimeras, o que nos restou? Pois bem, a cinza de algumas palavras. E nosso possível, para nós, homens de hoje, nosso possível, nós não o confiamos mais às coisas, aos homens, à História, às instituições, nós o confiamos aos signos.

Muito grosseiramente, poderíamos dizer isto: no século XIX, as pessoas falavam e escreviam para se tornarem enfim livres num mundo real onde poderiam se calar. No século XX, escreve-se – penso, é claro, na Palavra literária –, escreve-se para se fazer a experiência e avaliar a extensão de uma liberdade que não existe mais senão nas palavras, mas que aí se fez fúria.

Num mundo onde Deus está definitivamente morto, e onde sabemos, apesar de todas as promessas, de direita e de esquerda, da direita e da esquerda, que não seremos felizes, a linguagem é nosso único recurso, nossa única fonte. Ela nos revela, no próprio oco de nossas memórias, e sob cada uma de nossas Palavras, sob cada uma dessas Palavras que galopam através de nossa cabeça, o que ela nos revela é a majestosa liberdade de ser louco. E é talvez por isso que a experiência da loucura, em nossa civilização, é singularmente aguda e forma, de algum modo, a linha de árvores, o limite intransponível, de nossa literatura.

Pois bem, esta noite, gostaria, se quiserem, de remontar o fio que seguimos e descemos ao longo das transmissões anteriores. Não mais partir da loucura como linguagem originária para chegar à literatura; mas, ao contrário, falar dessa linguagem literária que está já nos próprios confins da loucura.

Sei que há atualmente todo um grande prestígio um pouco folclórico da literatura de hospício, da literatura de alienados. Gostaria de falar de outra coisa, dessa estranha experiência literária que faz a linguagem rodopiar sobre si mesma e descobre, no avesso de nossa tapeçaria verbal familiar, uma lei surpreendente. Essa lei, acho que poderíamos formulá-la assim: a linguagem, não é verdade que ela se aplique às coisas para traduzi-las; as coisas é que são, pelo contrário, contidas e envolvidas na linguagem como um tesouro afogado e silencioso no tumulto do mar.

As palavras, seu encontro arbitrário, sua confusão, todas as suas transformações protoplasmáticas bastam por si só para fazer nascer todo um mundo ao mesmo tempo verdadeiro e fantástico, um mundo muito mais velho que nossa infância e cujas ervas ondulantes Michel Leiris soube captar tão bem em "Biffures.[29]

> Quando me disseram que um incêndio tinha acabado de acontecer em Billancourt, primeiro não compreendi muito bem. "Billancourt", nome que se estira por sobre as janelas de telhado, os cata-ventos e os pátios como uma fumaça de fábrica, como o rangido de um bonde rodando sobre seus trilhos, e cujas três sílabas se entrechocam tristemente como os poucos tostões recolhidos por um mendigo se entrechocam no fundo da caneca que ele sacode na esperança de excitar a compaixão dos surdos. "*À Billancourt*", sílabas que imediatamente me impressionaram sobretudo por sua tonalidade própria e que eu tinha transformado nessas três palavras: "*habillé en cour*" [vestido para a corte]. Não se tratava – sempre estive convencido

[29] LEIRIS, Michel. *La règle du jeu* [A regra do jogo]. Paris: Gallimard, 1991 [1948]. t. 1: Biffures [riscos, rasuras]. (L'imaginaire).

disso – de um traje de corte: Luís XIV, assim como a rainha Ranavalona, estava bem longe daquilo que o nome de Billancourt arrastava consigo. Se não deixava de ser uma questão de se vestir para a corte, essa vestimenta não podia ter o que quer que fosse em comum com um traje de gala, uma roupa que se veste para ir desfilar nas galerias multiplicadas por espelhos ou sob as varandas escancaradas, em busca de um vento ausente, quando, cobertas de tecidos coloridos, desfazem-se em água as estátuas negras. Estar vestido para a corte era estar vestido de maneira cômoda para correr[30] e poder, com uma velocidade máxima, chegar aos lugares onde se gritava "fogo!" ou "socorro". O cinto vermelho e preto dos bombeiros ginasiarcas, tal era, sem dúvida alguma, o detalhe essencial pelo qual se definia a vestimenta para a corte.

Com esse cinto vermelho e preto eu me perguntava se o sargento Prosper não tivera de cingir sua túnica azul-escuro para correr, cotovelos rentes ao corpo, até Billancourt, onde o chamava seu dever, se não de salva-vidas diplomado, ao menos de suboficial reengajado e durão, sobrevivente de Madagascar. Mas não estava muito certo disso. Point-du-Jour, Issy-les-Moulineaux e Billancourt eram lugares tão particulares e tudo aquilo que punha em cena bombas de combate a incêndio e bombeiros ocorria a tal ponto à margem do universo costumeiro!

Talvez fosse simplesmente o zelador que, vestido para a corte e já não como cobrador, assumira esse passo de corrida? Talvez fosse outro parente, nada a ver com esse tio Prosper, ou alguém que estava de visita em nosso apartamento, ao qual se chegava através

---

[30] Além de transformar "*À Billancourt*" em "*habillé en cour*", Leiris transforma *cour* (corte) em *course* (corrida), chegando a um implícito "*habillé en course*" (vestido para corrida). (N.T.)

de três andares depois da travessia de um vestíbulo e de um pátio? Talvez fosse o jovem Poisson [Peixe], filho mais velho dos zeladores, aquele mesmo que voltou uma noite com o olho inchado e sangrando porque tinha caído ao descer do bonde? Talvez fossem unicamente os bombeiros? E, por certo, acabei sabendo que eram apenas eles, quando se dissipou o equívoco com que me deleitara e quando reconheci que ninguém precisara se vestir para a corte, visto que se tratava somente de Billancourt.

O incêndio acontecera – soubemos um pouco mais tarde – nas fábricas Ripolin. Naquela época, via-se em Paris, nas estações de metrô, um anúncio grande e de cores cintilantes. Três pintores de blusa branca e chapéu de palha, em tamanho quase natural, eram representados nele. Cada um munido de uma lata de Ripolin, formavam uma fila indiana, com as costas ligeiramente curvadas, e escreviam com um pincel, o primeiro numa parede, os dois outros nas costas daquele que estava imediatamente à sua frente, algumas linhas relativas à boa qualidade das tintas Ripolin.

Era sempre na maneira como deviam queimar as inúmeras latas de Ripolin armazenadas nas fábricas que eu pensava depois disso, olhando, do alto da plataforma de ferro, o anúncio luminoso dos papéis para cigarro Zigzag, na direção aproximativa de Point-du-Jour.

Point-du-Jour, "*paranroizeuses*",[31] Billancourt: barreiras, limites ou confins, claraboias de ferro torneado ou rendas de arcadas e de casas. Através dessas treliças,

[31] Duas outras palavras desse dicionário poético de Leiris. *Point-du-Jour*, "ponto do dia", "aurora", era também o nome de um bairro pobre de Billancourt; "*paranroizeuses*" é a corruptela de "*paroles oiseuses*" (palavras ociosas), expressão ouvida pelo pequeno Leiris num monólogo de Polin (Pierre-Paul Marsalés, 1863-1927). (N.T.)

eu entrevia algo piscar, ziguezagues de relâmpagos inscritos numa tela que não era noite nem dia.

Essas experiências de Michel Leiris em certo sentido são muito novas, contudo também se poderia dizer que pertencem a uma longuíssima dinastia. Uma dinastia que não se extinguiu em nossa literatura desde o Renascimento. Poderíamos, acredito, a respeito desses obscuros monarcas, falar, se quiserem, dos místicos da linguagem, ou seja, dessas pessoas que acreditaram no poder absoluto, originário e criador da linguagem; e da linguagem no que ela tem de mais material: na palavra, na sílaba, na letra, no próprio som.

É aí, nesse corpo carnal da Palavra, que eles viram, esses estranhos filósofos, esses poetas aberrantes, o coração vivo de todas as significações, o depósito a uma só vez natural e divino de tudo aquilo que poderia ser dito. Para eles, as letras, os sons, as palavras, como grandes pastores soberanos, guardam ao redor de suas estaturas erigidas desde a origem o rebanho de todas as Palavras futuras. E o século XVIII conheceu muitos desses alfabetos crédulos e poéticos. Eis um deles, por exemplo[32]:

> Ao aspecto do Altíssimo assim que Adão falou
> Foi aparentemente o A que articulou.
>
> Balbuciado bem cedo pelo bambino débil,
> O B se bandeia de sua boca inábil;
> Bem ele o habitua ao boa-noite, ao bom-dia;
> Os beijos e os bombons ambicionados dia a dia. [...]
>
> O C, rival do S com uma cedilha,
> Sem ela, em vez do Q, em todas as palavras fervilha.

[32] PIIS, Pierre Antoine Augustin de. *L'harmonie imitative da la langue française* [A harmonia imitativa da língua francesa]. Impr. Ph. –D. Pierres, 1785.

Dos objetos ocos começa a nomeação:
Uma cava, uma cuba, um casco, um canhão,
Uma cesta, um coração, um cofre, uma carreira, [...]

A decidir seu tom por pouco que o D tarde,
É preciso, contra os dentes, que a língua o darde;
E já, de direito, usado no discurso,
O dorso sempre tenso, descreve mais de um curso.

O E se esforça em seguida, excelente fonema,
Cada vez que se respira, ele escapa sem pena;
E no idioma francês gentilmente tratado,
Frequentemente se vê reiterado;
Mas raro se faz em sílabas rechonchudas;
Intérprete oculto das consoantes mudas,
Se uma delas, só, ousa passear,
Atrás ou na frente se ouve seu ressoar. [...]

O F em furor freme, fisga, fere e defende; [...]
Dá força ao ferro fundido, que fende;
Faz o fogo, a fumaça e a flama,
Fecundo em festins, também o frio inflama.
Da faca que se afia fornece o efeito
O frêmito da funda e, após, seu feito.

O G, mais gaio, vê o R acorrer com raça;
Sempre a seu grado se agrupam as graças.
Um jato de voz basta para o G engendrar;
Que geme às vezes na goela a gaguejar,
E às vezes ao I furtando a figura,
Numa injusta justa joga e jura;
Seu tom geral governa de agosto a agosto,
E se sente a gosto para designar o gosto.

O H, no fundo do palato humilde ao nascer,
Hasteia no alto das palavras seu hostil poder;
Hiberna, hesita, também horroriza,
Às vezes, por honra, tímido harmoniza.

O I reto istmo instaura seu império;
Inicia no N seu infindo impropério;
Pelo I precipitado o riso se trai,
E pelo I prolongado o infortúnio diz seu ai.

O K que figurava nas kalendas gregas
Deixou o Q e o C vencerem as refregas;
E voltando a nós velho e cansado,
Só mesmo em Kimper se viu acariciado.

Mas quanto um só L a palavra embeleza!
Lento cola aqui, ali lampeja em leveza;
O líquido das águas por ele é lavrado,
Ele pole o estilo depois de o ter limado;
A vogal se tinge de sua cor esplendente,
Lá onde se mescla, é óleo luzente
Que molha cada frase e com seu lenitivo
Das consoantes destrói o ranger cativo.

Aqui o M sobre seus três pés caminha,
A letra N a seu lado, só com dois, mesquinha;
O M muge manso e morre se fechando,
O N do fundo de meu nariz foge ressoando;
O M ama murmurar, o N a negar se obstina;
O N escarnece, o M se amotina;
O M em meio a muitos marcha com majestade,
O N une a nobreza e a necessidade.

A boca redonda para o O eclodir,
Força e desdobra o órgão a sair,
Quando o espanto, gerado na cabeça,
Vem à tona nesse acento novo à beça.
O círculo lhe deu sua forma original;
Ele convém à órbita e também ao oval;
Presença obrigatória quando ornar carece,
Assim que ordena tudo lhe obedece. [...]

Para dizer a verdade, acho que o maior desses místicos da linguagem não pertence ao século XVIII, mas está bem mais próximo de nós. Era um simples professor de gramática francesa que viveu no fim do século XIX. Chamava-se Jean-Pierre Brisset.[33] Era conhecido como um doido varrido e foi reconhecido por André Breton.

Em quatro livros, desenvolveu um prodigioso delírio etimológico que vai do coaxar das rãs, nossas ancestrais, aos ecos mais perturbadores, mais inquietantes, e em certo sentido também mais naturais de nossa linguagem presente. Sacudindo as palavras como uma matraca obstinada, repetindo-as em todos os sentidos, arrancando-lhes harmônicas irrisórias, mas decisivas também, fez nascer delas, por uma espécie de dilatação monstruosa, fábulas; fábulas em que se resume toda a história dos homens e dos deuses, como se o mundo desde sua criação não fosse mais que um gigantesco jogo de palavras, um jogo de contas de vidro que obedecesse às leis mais gratuitas, porém mais imperiosas.[34]

> A comparação das línguas decuplica a clareza da ciência de Deus, que em cada língua brilha como o sol quando resplandece em sua força. [...]
>
> *Parole*, o que tu és? Sou *p*, a potência, *ar*, que volta para trás, *ole*, que anda para frente.[35] Sou o movimento perpétuo e em todos os sentidos, sou a imagem dos sóis e das esferas e dos astros de toda a natureza que se movem na imensidão. Voltando

---

[33] Sobre Jean-Pierre Brisset, ver FOUCAULT, Michel. Sept propos sur le septième ange (em *Dits et écrits*, art. citado).

[34] BRISSET, Jean-Pierre. *La Science de Dieu, ou la création de l'homme* [A ciência de Deus, ou a criação do homem]. In: *Œuvres complètes*. Prefácio e edição de Marc Décimo. Dijon: Les presses du Réel, 2001. (L'Écart absolu).

[35] Como se vê, Brisset decompõe a palavra *parole*: *p* de *puissance* (potência); *ar*, primeira sílaba de *arrière* (atrás); e *ole*, que ele associa a "andar para frente". (N.T.)

para trás e andando para frente a um só tempo. Sou eu a rainha e a mãe dos homens que habitam os globos. É através de mim que o Universo conhece o Universo. [...]

Há sete anos estamos em êxtase diante das maravilhas da Palavra, enquanto a rã não fez mais que ser rã, sua linguagem não pôde se desenvolver consideravelmente, mas tão logo os sexos começaram a se anunciar, sensações estranhas, imperiosas, obrigaram o animal a gritar por ajuda, por socorro, pois ele não podia satisfazer a si próprio nem amortecer os fogos que o consumiam. A razão disso é que a rã não tem o braço longo e leva o pescoço enterrado nos ombros. O desenvolvimento do pescoço veio ao mesmo tempo e depois da vinda do sexo, que era o indício de que alguém tinha nascido. Dizia-se então, ele nasceu, pescoço está feito quando o pescoço estava formado e era uma grande fortuna ter nascido coberto, pois a vinda do pescoço dava torcicolos de que ainda sofremos. [...]

A anterioridade da sílaba mor estando bem estabelecida, achamos que ela convém de fato à análise de moralizar, dirigir para a morte. Mórbido, cor de morto. *Morceaux* [pedaços], parte de um todo morto ou destruído. *Morcelé* [despedaçado], dividir o que está morto ou destruído. Mordente, que pode causar a morte. *Morfondre* [enregelar], partir como morto. *Amorcer* [escorvar], dispor para a morte. [...]

Palavra, conta-nos o porvir, o que é a eternidade? É o ser que se foi, é a morte, o silêncio, é tudo o que viveu. É o eterno e morno remorso. O que é o eterno? O eterno é o ser nulo. O eterno não é um ser, assim como o paterno não é um pai. Mas o ser supremo é o deus que está em nós, que fala e desabrocha em seu reino. [...]

Quantos *écrivains* [escritores]

Quantos *écrits-vains* [escritos-vãos]

Todos sabem a importância que adquiriram na literatura contemporânea essas maravilhas interiores à linguagem. Elas se devem, acredito, essas maravilhas, a um paradoxo. Esse paradoxo é o seguinte: em certo sentido, todas as palavras são absolutamente arbitrárias, não há nenhuma necessidade de natureza para que se chame o sol de sol ou de erva o frescor da terra; e, no entanto, a linguagem ressoa em nós, em nossos corações e memórias, como alguma coisa de tão velho, de tão ligado a todas as coisas do mundo, de tão próximo de seu segredo que se tem a impressão de poder encontrar por sua simples escuta todo o horror da poesia.

Daí, acredito, dois mitos que assombram a literatura contemporânea. Dois mitos complementares, e que são estes:

O mito, por um lado, de um contrato renegado em que as palavras convencionadas e aceitas seriam substituídas por outras, mas de tal maneira que o sentido passaria mesmo assim, tão límpido e evidente quanto se fossem utilizadas as palavras da tradição.

É o sonho irônico de uma linguagem inteiramente fiduciária. Por exemplo, este texto de Tardieu. Não é que dá para compreender tudinho no diálogo que ele imaginou? Nenhuma das palavras convencionadas é empregada, e, no entanto, encontramos nele, de maneira gritante, todas as convenções da mais banal das conversas de salão.[36]

---

[36] TARDIEU, Jean. Um mot pour un autre [Uma palavra por outra] [1951]. In: *La Comédie du langage* [A comédia da linguagem]. In: *Œuvres*. Editado por Jean-Yves Debreuille, Alix Thurolla-Tardieu e Delphine Hautois. Prefácio de Gérard Macé. Paris: Gallimard, 2003. (Quarto).

MADAME: Querida, querida pelúcia! Mas há quantos buracos, há quantos seixos eu não tinha o aprendiz de padeiro de açucará-la!

MADAME DE PERLEMINOUZE, *muito afetada*: Ai ai! Querida! Eu mesma estava muito, muito vidrosa! Meus três pastelões mais novos tiveram a limonada, um depois do outro. Durante todo o início do corsário, só fiz aninhar moinhos, correr até o ludião ou o tamborete, passei poços vigiando o carboneto deles, dando-lhes pinças e monções. Em suma, não tive um minarete para mim.

MADAME: Coitadinha! E eu que não me coçava de nada!

MADAME DE PERLEMINOUZE: Melhor assim! Eu me recozinho! Você bem que mereceu se passar no pão, depois de todas as gomas que queimou! Vamos lá: desde o mole de Sapo até o meio Brioche ninguém a viu nem no "Water-proof" nem sob as alpacas do bosque de Enxaqueca! Você só podia estar realmente gargarejada!

MADAME, *suspirando*: É verdade!... Ah! Que cerusa! Não posso molhar nela sem escalar.

MADAME DE PERLEMINOUZE, *em tom de confidência*: Então, nada de pralinas até agora?

MADAME: Nenhuma.

MADAME DE PERLEMINOUZE: Nem um grãozinho de limatão?

MADAME: Nem um! Ele nunca se dignou a me repicar, desde a onda em que me zebrou!

MADAME DE PERLEMINOUZE: Que roncador! Merecia que lhe metessem umas centelhas!

MADAME: Foi o que eu fiz. Meti-lhe quatro, cinco, seis talvez em alguns moles: ele nunca limpou a chaminé.

Madame de Perleminouze: Coitadinha, minha pobre tisana!... (*Sonhadora e tentadora.*) Se fosse você, pegaria um outro lampião!

Madame: Impossível! Logo se vê que você não o embainha! Ele tem sobre mim um terrível lenço. Sou a mosca dele, sua mitene, sua cerceta; ele é meu rotim, meu apito; sem ele, não posso nem bloquear nem ganir; nunca hei de afivelá-lo! (*Mudando de tom.*) Mas estou batendo as cartas, você aceita flutuar alguma coisa, uma borbulha de zulu, dois dedos de loto?

Madame de Perleminouze, *aceitando*: Obrigada, com grande sol.

Madame, *toca e volta a tocar a campainha em vão. Levanta-se e chama*: Irma!... Irma, ora essa!... Oh, essa cerva! Ela é curva como um tronco... Desculpe-me, tenho de ir até a basílica, mascarar essa pantufa. Remendo num minarete.

Diante desse mito cômico e irrisório, há também o mito sério de uma linguagem que, bem pelo contrário, permaneceria interior a suas próprias palavras. Porque, no oco da caverna delas, ela encontraria todo o espaço de sua criação; bastaria de certo modo a essa linguagem repetir a si mesma, escavar seu próprio solo, abrir nele galerias de comunicação imprevistas e, no entanto, necessárias; e então qualquer vestígio de convenção se apagaria, e viriam à luz profundas verdades de natureza e de poesia.

Não são, por exemplo, de uma evidente necessidade poética esses jogos de palavras cujo léxico alfabético Leiris estabeleceu em *Bagatelas vegetais*?[37]

---

[37] LEIRIS, Michel. *Bagatelles végétales*. Paris: Jean Aubier, 1956, retomado em LEIRIS, Michel. *Mots sans mémoire* [Palavras sem memória - 1969]. Paris: Gallimard, 1998. (L'Imaginaire). [Fiz o melhor que pude, mas não adianta, é preciso ler no original:

ADÁGIOS DE JADE

Aprende a apostar na pura aparência.
Ideias, éditos. Edificar, deificar.
O maná dos manes tomba das tumbas.
A lareira é um ser, as cadeiras são coisas.
O sangue é a senda do tempo. A embriaguez é o
  sonho e o joio das vísceras.
Nada renegar. Adivinhar o devir.
Pensa no tempo, nas toupeiras e na tua impotência,
  bufão!
[...]
Alma,
  mal amical
  lago de espuma imaculada
Angustiantes luvas de seda...

"ADAGES DE JADE/Apprends à parier pour la pure apparence./Idées, édits. Édifier, déifier./La manne des mânes tombe des tombes./L'âtre est un être, les chaises sont des choses./Le sang est la sente du temps. L'ivresse est le rêve et l'ivraie des viscères./Ne rien renier. Deviner le devenir./Pense au temps, aux taupes et à ton impotence, pantin ! [...]/Âme,/mal amical/lac à l'écume immaculée/Angoissants gants de soie... [...]/Après le vent, l'apprêt d'envol vers le levant./Armes amères. Artillerie artérielle, écartelée d'écarlate [...]/Asiles aisés des ailes. Alizés alliacés. [...]/Aux dais rares des rois, dorure d'aurore./Avril livra sa vrille. Folioles en folie, ciel en liesse. Libre, il brille.../Bagatelles végétales ? Bacilles de syllabes, radicelles ridicules. [...]/Cadavres : cadres et canevas en vrac, carcasses à crasse, cortège et sortilèges de cartilages./Centaure torrentiel, un ange nage dans le fleuve veuf./Cercles de crécelles et gaies épées des guêpes. [...]/Cœur creux, givre frigide/Copuler saouls sous la coupole. [...]/Poème: problème rebelle, herbe et ailes (ailes de plume et de peau, enveloppées dans leur envol)./Présente et perçante, que l'amour te laboure ! [...]/Veines vineuses, avenues de venin : Venise ?/Venez, nids vénériens et vénérés, au niveau de nos nœuds vénéneux ! [...]/Vertige, gîte rêvé ? Vampire ou strige, vestiges vapoureux, apparences à pas rances.../Vie ivre de vide. Vécue et cuvée, de vacarme en caverne. [...]/Voûtes touffues, rameaux remuants, branches basses : nervures nouvelles pour la vue"]

[...]
Depois do vento, o preparo do voo rumo ao levante.
Armas amargas. Artilharia arterial, esquartelada de escarlate
[...]
Asilo abastado das asas. Alísios aliáceos
[...]
Nos dosséis raros dos reis, dourado de aurora.
Abril entregou sua gavinha. Folíolos em folia, céu em escarcéu. Livre, brilha...
Bagatelas vegetais? Bacilos de sílabas, radículas ridículas.
[...]
Cadáveres: quadros e telas em desordem, carcaças ensebadas, cortejo e sortilégios de cartilagens.
Centauro torrencial, um anjo nada no rio viúvo.
Círculos de matracas e gaias espadas das vespas.
[...]
Coração oco, geada frígida.
Copular bêbados sob a cúpula.
[...]
Poema: problema rebelde, erva e asas (asas de pluma e de pele, envolvidas em seu esvoaçar).
Presente e perfurante, que o amor te lacere!
[...]
Veias vinosas, avenidas de veneno: Veneza?
Vinde, ninhos venéreos e venerados, no nível de nossos nós venenosos!
[...]
Vertigem, guarida sonhada? Vampiro ou estrige, vestígios vaporosos, aparências de passos rançosos...
Vida ébria de vazio. Vivida e incubada, de algazarra em caverna.
[...]
Abóbodas frondosas, ramos remexidos, galhos baixos: nervuras novas para a vista.

Nada, vocês estão vendo, de mais maravilhosamente lúcido que essa paciente atenção à linguagem de que dão mostras Leiris ou Tardieu. E, no entanto, o perpétuo jogo de linguagem que o sonho de todos os homens manifesta e esconde, mas também a paralisia das histéricas, ou os ritos dos obsessivos, ou ainda o labirinto verbal onde se perdem os esquizofrênicos, tudo isso talvez não tenha uma estrutura muito diferente dessas experiências verbais que acabamos de ver, o que não quer dizer, evidentemente, que toda linguagem de loucura tenha uma significação literária; o que tampouco quer dizer que a literatura esteja hoje fascinada ou assombrada pela loucura como pôde estar outrora pela revolta ou pela paixão ou pelo amor. Acho que tudo isso, no entanto, quer dizer uma coisa importante: que nossa época descobriu – e de uma maneira quase simultânea – que a literatura, no fundo, não era mais que um fato de linguagem, e que a loucura, por sua vez, era um fenômeno de significação. Que uma e outra, por conseguinte, jogavam com signos, jogavam com *esses* signos que jogam conosco e zombam de nós.

A literatura e a loucura, hoje em dia, pois bem, elas têm um horizonte comum, uma espécie de linha de junção que é a linha dos signos.

Esse corte é provavelmente como essas linhas do horizonte das quais não se pode escapar, mas que, no entanto, nunca podem ser alcançadas. A loucura e a literatura talvez sejam para nós como o céu e a terra unidos ao nosso redor, mas ligadas uma à outra por uma espécie de grande abertura na qual não cessamos de avançar, na qual justamente falamos, falamos até o dia em que colocarão um punhado de terra em nossa boca.

Acho que foi isso, ou mais ou menos isso, que Artaud quis dizer num texto cuja fulguração recobre soberanamente esse caminho onde nós, todos nós, nos perdemos para sempre[38]:

> Sim, eis aqui agora o único uso para o qual a linguagem ainda pode servir doravante. Um meio de loucura, de eliminação do pensamento, de ruptura, o dédalo das desrazões.

RTF France III National acaba de apresentar "A linguagem da loucura" por Michel Foucault. Hoje, quinta e última transmissão dessa série: "A linguagem enlouquecida". Com Marguerite Cassan, Caroline Clerc, Roger Bret, René Farabet, Claude Martin. Som: Samias Viski; assistente: Marie-André Armineau; realização: Jean Doat. Este foi O Uso da Palavra.

---

[38] *Post-scriptum* da carta de Antonin Artaud a Jacques Rivière de 29 de janeiro de 1924.

Linguagem e literatura

Bruxelas, dezembro de 1964

Nota dos editores

Em dezembro de 1964, Michel Foucault faz, nas Facultés Universitaires Saint-Louis, em Bruxelas, uma conferência composta de duas sessões, intitulada "Linguagem e literatura". Pela análise da estranha "triangulação" que ele discerne entre a linguagem, a obra e a literatura, Foucault retoma o conjunto dos temas que atravessam seus escritos sobre a literatura daquele início dos anos 1960. Na primeira parte da conferência, cuja tonalidade parece ainda muito fortemente marcada pela dupla referência a Georges Bataille e Maurice Blanchot, a experiência moderna da literatura, cujo nascimento é historicamente situado por Foucault num período que vai do fim do século XVIII ao início do século XIX, é descrita como essa oscilação da linguagem sobre si mesma, de que a obra seria ao mesmo tempo a cristalização e a transgressão. São convocadas figuras recorrentes no trabalho de Foucault dessa década – Sade, Cervantes, Joyce –, assim como outras, mais insólitas na análise foucaultiana – Proust, Chateaubriand, Racine ou Corneille. A segunda parte da conferência, que se abre com uma referência aos trabalhos do linguista russo Roman Jakobson, explora mais a pista de um "esoterismo estrutural" capaz de trabalhar a própria codificação da linguagem. Uma codificação que se expõe à sua própria recomposição – gesto que seria ao mesmo tempo aquele, eminentemente histórico e linguístico, de um estudo da organização da linguagem num momento e num lugar determinados (Foucault já é aqui, à sua maneira, arqueólogo) e aquele, arriscado, situado nas fronteiras das determinações linguísticas existentes, de uma desordem (ou de uma outra ordem) em que a experiência moderna da literatura encontraria seu momento originário.

Primeira sessão

A pergunta hoje célebre "O que é a literatura?", vocês sabem que ela está associada para nós ao próprio exercício da literatura, como se essa pergunta não fosse formulada *a posteriori* por um terceiro, interrogando-se sobre um objeto estranho e que lhe seria exterior, mas como se tivesse seu lugar de origem exatamente *na* literatura, como se colocar a questão "O que é a literatura?" não formasse mais que uma única e mesma coisa com o próprio ato de escrever.

"O que é a literatura?" não é de modo algum uma pergunta de crítico, de modo algum uma pergunta de historiador, de sociólogo interrogando-se diante de determinado fato de linguagem. É, de algum modo, um oco que é aberto na literatura, um oco onde ela teria de se alojar e, provavelmente, recolher todo seu ser.

Há, no entanto, um paradoxo, ou pelo menos uma dificuldade. Acabo de dizer que a literatura se aloja na pergunta "O que é a literatura?". Mas, no fim das contas, essa pergunta é muito recente; ela é pouca coisa mais velha que nós. Em suma, a pergunta "O que é a literatura?", pode-se dizer, *grosso modo*, que é desde o acontecimento que foi a obra de Mallarmé que ela veio até nós e pôde se formular. Ao passo que a literatura não tem idade, não tem mais cronologia ou estado civil que a própria linguagem humana.

Contudo, não estou tão certo de que a literatura seja tão antiga quanto se costuma dizer. É claro, há milênios que alguma coisa existe, que retrospectivamente costumamos chamar de "a literatura".

Acredito que é justamente isso que seria preciso questionar. Não é tão certo que Dante ou Cervantes ou Eurípides sejam literatura. Eles pertencem evidentemente à literatura, isso quer dizer que fazem parte efetivamente de nossa literatura atual, e fazem parte da literatura graças a certa relação que, na verdade, só concerne a nós. Fazem parte de nossa literatura, não fazem parte da deles, pela excelente razão de que a literatura grega não existe, a literatura latina não existe. Em outras palavras, se a relação da obra de Eurípides com nossa linguagem é literatura, a relação dessa mesma obra com a linguagem grega certamente não era literatura. É por isso que gostaria de distinguir bem claramente três coisas.

Em primeiro lugar, há a linguagem. A linguagem é, como vocês sabem, o murmúrio de tudo aquilo que é pronunciado, e também é, ao mesmo tempo, esse sistema transparente que faz com que, quando falamos, sejamos compreendidos; em suma, a linguagem é a um só tempo todo o fato das falas acumuladas na história e o próprio sistema da língua.

Eis aí, portanto, de um lado, a linguagem. De outro, há as obras. Digamos que há essa coisa estranha no interior da linguagem, essa configuração de linguagem que se detém sobre si mesma, que se imobiliza, que constitui um espaço que lhe é próprio, e que retém nesse espaço o fluxo do murmúrio, que torna espessa a transparência dos signos e das palavras, e que erige assim um certo volume opaco, provavelmente enigmático, e é isso em suma que constitui uma obra.

E então há um terceiro termo, que não é exatamente nem a obra nem a linguagem, esse terceiro termo é a literatura.

A literatura não é a forma geral de toda obra de linguagem, tampouco é o lugar universal onde se situa a obra de linguagem. É, de algum modo, um terceiro termo, o vértice de um triângulo, pelo qual passa a relação da linguagem com a obra e da obra com a linguagem.

Acho que é uma relação desse tipo que é designada pela palavra "literatura" em sua acepção clássica; "literatura", no século XVII, designava simplesmente a familiaridade que alguém podia ter com as obras de linguagem, o uso, a frequentação pela qual esse alguém recuperava no nível de sua linguagem cotidiana aquilo que era em si e por si uma obra. Essa relação que constituía a literatura na época clássica era apenas uma questão de memória, de familiaridade, de saber, era uma questão de recepção passiva.

Ora, essa relação entre a linguagem e a obra, essa relação que passa pela literatura, deixou de ser, a partir de certo momento, uma relação puramente passiva de saber e de memória, tornou-se uma relação ativa, prática, e por isso mesmo uma relação obscura e profunda entre a obra [no momento de se fazer e a própria linguagem; ou ainda entre a linguagem no momento de sua transformação e a obra que ela está se tornando[39]]. Esse momento em que a

---

[39] Apoiamo-nos aqui no manuscrito, já que o datiloscrito da conferência é ilegível nesse trecho.

literatura se tornou o terceiro termo ativo no triângulo que se constitui assim, esse momento é evidentemente o início do século XIX, ou o fim do XVIII, quando, na proximidade de Chateaubriand, de Madame de Staël, de La Harpe,[40] o século XVIII se desvia de nós, encerra em si e leva consigo alguma coisa que nos escapa agora, mas que, decerto, resta a pensar se queremos pensar o que é a literatura.

Costuma-se dizer que a consciência crítica, a inquietação reflexiva sobre o que é a literatura se introduziu bastante tarde, e, de algum modo, na rarefação, no esgotamento da obra; no momento em que, por razões puramente históricas, a literatura não foi mais capaz de fornecer a si mesma outro objeto que não ela própria. Para dizer a verdade, parece-me que a relação da literatura consigo mesma, a pergunta sobre o que ela é, fazia parte, desde a origem, de sua triangulação de nascimento. A literatura não é o fato de uma linguagem se transformar em obra, tampouco é o fato de uma obra ser fabricada com linguagem; a literatura é um terceiro ponto, diferente da linguagem e diferente da obra, um terceiro ponto que é exterior à reta que vai de uma à outra e que por isso mesmo desenha um espaço vazio, uma brancura essencial onde nasce a pergunta "O que é a literatura?", uma brancura essencial que é essa própria pergunta. Esta, por conseguinte, essa pergunta, não se superpõe à literatura, não se acrescenta através de uma consciência crítica suplementar à literatura, ela é o próprio ser da literatura, originariamente desmembrado e fraturado.

Para dizer a verdade, não pretendo falar para vocês de nada, nem da obra, nem da literatura, nem da linguagem.

---

[40] Jean-François de la Harpe (1739-1803), escritor, dramaturgo e crítico francês de origem suíça, de uma erudição e de um anticlericalismo poderosos.

Porém, gostaria de situar, de algum modo, minha linguagem, que, infelizmente, não é nem obra nem literatura, gostaria de situá-la nessa distância, nesse afastamento, nesse triângulo, nessa dispersão de origem onde a obra, a literatura e a linguagem se deslumbram reciprocamente, quer dizer, iluminam-se e cegam-se reciprocamente, para que, talvez, graças a isso, algo de seu ser sorrateiramente venha até nós. Talvez vocês fiquem um pouco chocados e frustrados com o pouco que tenho a lhes dizer.

Mas esse pouco, gostaria muito que prestassem atenção nele, pois gostaria que chegasse até vocês esse oco da linguagem que não para de escavar a literatura desde que ela existe, vale dizer, desde o século XIX. Gostaria que ao menos surgisse para vocês a necessidade de descartar uma ideia feita, uma ideia que essa literatura precisamente fez de si própria, e essa ideia é a seguinte: que a literatura é uma linguagem, um texto feito de palavras, de palavras como as outras, mas de palavras que são suficientemente e de tal modo escolhidas e arranjadas que, através dessas palavras, passa algo que é inefável.

Parece-me que é exatamente o contrário, que a literatura não é feita de modo algum de um inefável, ela é feita de um não inefável, de algo que poderia, por conseguinte, ser chamado, no sentido estrito e originário do termo, de "fábula".[41] Ela é, portanto, feita de uma fábula, de alguma coisa que deve e pode ser dita, mas essa fábula é dita numa linguagem que é ausência, que é assassinato, que é desdobramento, que é simulacro, e me parece que é graças a isso que um discurso sobre a literatura é possível, um discurso diferente dessas alusões com que nos martelam os ouvidos há séculos, essas alusões

---

[41] O jogo de Foucault fica um pouco prejudicado em português. Em francês temos *ineffable* (inefável) e *fable* (fábula). (N.T.)

ao silêncio, ao segredo, ao indizível, às modulações do coração, enfim a todos esses prestígios da individualidade onde a crítica, até estes últimos tempos, tinha abrigado sua inconsistência.

A primeira constatação é a de que a literatura não é esse fato bruto de linguagem que se deixa pouco a pouco penetrar pela questão sutil, secundária, de sua essência e de seu direito à existência. A literatura em si mesma é uma distância aberta no interior da linguagem, uma distância incessantemente percorrida e que nunca é realmente transposta; enfim, a literatura é uma espécie de linguagem que oscila sobre si mesma, uma espécie de vibração no mesmo lugar. E ainda, essas palavras, "oscilação", "vibração", são insuficientes e bastante mal ajustadas, porque deixam supor que há dois polos, que a literatura é ao mesmo tempo literatura e depois, ainda assim, linguagem, e que haveria entre a literatura e a linguagem algo como uma hesitação. Na verdade, a relação com a literatura está inteiramente contida na espessura absolutamente imóvel, sem movimento, da obra, e ao mesmo tempo essa relação é aquilo através de que a obra e a literatura se esquivam uma na outra.

Pois a obra, em certo sentido, quando ela é literatura? O paradoxo da obra é precisamente isto, que ela só é literatura no exato instante de seu começo, [já em sua primeira frase, já na página branca. Decerto, ela só é realmente literatura nesse momento e sobre essa superfície, no ritual prévio que traça para as palavras seu espaço de consagração[42].] E, por conseguinte, assim que essa página branca começa a ser preenchida, assim que as palavras começam a ser transcritas sobre essa superfície

[42] Apoiamo-nos aqui no manuscrito, já que o datiloscrito da conferência é ilegível nesse trecho.

ainda virgem, nesse momento, cada palavra é, de algum modo, absolutamente decepcionante em relação à literatura, pois não há nenhuma palavra que pertença por essência, por direito natural, à literatura. Na verdade, assim que uma palavra é escrita sobre a página branca, que deve ser a página de literatura, a partir desse momento já não é mais literatura, vale dizer que cada palavra real é de algum modo uma transgressão, que faz em relação à essência pura, branca, vazia, sagrada da literatura uma transgressão, que faz de toda obra não, de modo algum, a consumação da literatura, mas sua ruptura, sua queda, seu arrombamento. Toda palavra sem estatuto nem prestígio literário é um arrombamento, toda palavra prosaica ou cotidiana é um arrombamento, mas qualquer palavra é um arrombamento a partir do momento em que é escrita.

"Por muito tempo, deitei-me cedo." É a primeira frase de *Em busca do tempo perdido*. Trata-se, em certo sentido, de uma entrada na literatura, mas é evidente que não há uma só dessas palavras que pertença à literatura; é uma entrada na literatura não porque essa frase seria a entrada em cena de uma linguagem toda armada com os signos, o brasão e as marcas da literatura, mas simplesmente porque é a irrupção de uma linguagem *tout court* sobre uma página toda branca, é a irrupção da linguagem sem signos nem armas, no limiar mesmo de alguma coisa que não se verá jamais em carne, essas palavras que nos conduzem até o limiar de uma perpétua ausência, que será a literatura.

É, aliás, característico que a literatura, desde que ela existe, a literatura desde o século XIX, desde que ofereceu à cultura ocidental essa figura estranha sobre a qual nos interrogamos, é característico que a literatura tenha sempre atribuído a si mesma certa tarefa, e que essa tarefa seja precisamente o assassinato da literatura. A partir do século XIX, não se trata mais, de modo algum, entre as obras que se sucedem, dessa relação contestada, reversível, ela mesma, aliás, muito intrigante, que é a relação entre o antigo e o novo, e sobre a qual toda a literatura clássica se interrogou. A relação de sucessão que surge a partir do século XIX é uma relação, de algum modo, muito mais matinal, que seria a um só tempo relação de completamento da literatura e de assassinato inicial da literatura. Baudelaire não é para o romantismo, Mallarmé não é para Baudelaire, o surrealismo não é para Mallarmé aquilo que Racine foi para Corneille, ou que Beaumarchais foi para Marivaux.

Na verdade, a historicidade que surge no século XIX no domínio da literatura é uma historicidade de um tipo totalmente especial e que não pode de maneira alguma ser assimilada àquela que garantiu a continuidade ou a descontinuidade da literatura até o século XVIII. A historicidade da literatura no século XIX não passa pela recusa das outras obras, ou por seu recuo, ou por sua acolhida; a historicidade da literatura no século XIX passa obrigatoriamente pela recusa da própria literatura, e é preciso entender essa recusa em todo o complexo emaranhado de suas negações. Cada novo ato literário, seja o de Baudelaire, de Mallarmé, dos surrealistas, pouco importa, implica ao menos, acredito, quatro negações, quatro recusas, quatro tentativas de assassinato: recusar, em primeiro lugar, a literatura dos outros; em segundo, recusar aos outros o próprio direito de fazer literatura, contestar que as obras dos outros sejam literatura; em terceiro, recusar a si mesmo, contestar a si mesmo o direito de fazer literatura; e, enfim, em quarto lugar, recusar fazer ou dizer outra coisa no uso da linguagem literária que não o assassinato sistemático, consumado, da literatura.

Portanto, pode-se dizer, acredito, que, a partir do século XIX, todo ato literário se dá e toma consciência de si mesmo como uma transgressão dessa essência pura e inacessível que seria a literatura. E, no entanto, num outro sentido, cada palavra, a partir do momento em que é escrita nessa famosa página branca sobre a qual nos interrogamos, cada palavra, entretanto, faz signo.[43] Faz signo a alguma coisa, pois ela não é como uma palavra normal, como uma palavra ordinária. Ela faz signo a alguma coisa que é a literatura; cada palavra, a partir do momento em que é escrita sobre essa página branca da obra, é uma espécie de pisca-pisca que pisca para alguma coisa que chamamos de literatura. Pois, para dizer a verdade, nada, numa obra de linguagem, é semelhante àquilo que se diz cotidianamente. Nada é linguagem verdadeira, desafio vocês a encontrarem uma única passagem de uma obra qualquer que realmente pertença à realidade da linguagem cotidiana.

E, às vezes, bem sei que isso ocorre, bem sei que certos escritores pegaram diálogos reais, às vezes até registrados num gravador, como Butor acaba de fazer para sua descrição de San Marco, em que colou na própria descrição da catedral as gravações reproduzindo o diálogo das pessoas que a visitavam e faziam comentários, alguns sobre a própria catedral, outros sobre a qualidade dos *ice creams* que se podem comer por ali.

Mas a existência de uma linguagem real assim extraída e introduzida na obra literária, quando isso ocorre, funciona como um papel colado num quadro cubista. O papel colado num quadro cubista não está ali para "fazer verdadeiro", está ali, pelo contrário, para furar de certo modo o espaço do quadro, e é da mesma maneira que a

[43] Embora "sinal" funcionasse melhor aqui, preferi, por razões de coerência, manter "signo" para *signe*. (N.T.)

linguagem verdadeira, quando introduzida realmente numa obra literária, é colocada ali para furar o espaço da linguagem, para lhe conferir, de algum modo, uma dimensão sagital que, na verdade, não lhe pertenceria naturalmente. De tal forma que a obra só existe finalmente na medida em que, a cada instante, todas as palavras são viradas para essa literatura, são acesas pela literatura, e, ao mesmo tempo, a obra só existe porque essa literatura é ao mesmo tempo conjurada e profanada, essa literatura que, no entanto, sustenta cada uma dessas palavras, desde a primeira.

Pode-se dizer, portanto, que, no total, a obra como irrupção desaparece e se dissolve no murmúrio da repetição contínua da literatura; não há obra que não se torne, por isso, um fragmento de literatura, um pedaço que só existe porque existe ao redor dela, na frente e atrás, algo como a continuidade da literatura.

Me parece que esses dois aspectos, da profanação e depois desse signo perpetuamente renovado que cada palavra faz para a literatura, me parece que isso permitiria esboçar, de algum modo, duas figuras exemplares e paradigmáticas do que é a literatura, duas figuras estranhas entre si e que talvez, no entanto, se pertençam.

Uma seria a figura da transgressão, a figura da Palavra transgressiva, e a outra, ao contrário, seria a figura de todas essas palavras que apontam e fazem signo para a literatura; de um lado, portanto, a Palavra de transgressão, e do outro o que eu chamaria de a repetição contínua da biblioteca. Uma é a figura do interdito, da linguagem no limite, é a figura do escritor enclausurado; a outra, ao contrário, é o espaço dos livros que se acumulam, que se encostam uns nos outros, cada um não tendo mais que a existência denteada que o recorta e o repete ao infinito no céu de todos os livros possíveis.

É evidente que Sade foi o primeiro a articular, no fim do século XVIII, a Palavra de transgressão; pode-se mesmo dizer que sua obra é o ponto que a um só tempo recolhe e torna possível toda Palavra de transgressão. A obra de Sade, sem dúvida alguma, é o limiar histórico da literatura. Em certo sentido, vocês sabem que a obra de Sade é um gigantesco pastiche. Não há uma única frase de Sade que não esteja inteiramente voltada para alguma coisa que foi dita antes dele, pelos filósofos do século XVIII, por Rousseau; não há um único episódio, uma única dessas cenas, insuportáveis, que Sade conta que não seja na realidade o pastiche irrisório, completamente profanador, de uma cena de um romance do século XVIII – basta, aliás, seguir o nome dos personagens para encontrar exatamente de quem Sade quis fazer o pastiche profanador.

Vale dizer que a obra de Sade tem a pretensão, teve a pretensão, de ser o apagamento de toda a filosofia, de toda a literatura, de toda a linguagem que o precederam, e o apagamento de toda essa literatura na transgressão de uma Palavra que profanaria a página tornada assim novamente branca. Quanto à nomeação sem reticência, quanto aos movimentos que percorrem meticulosamente todos os possíveis nas famosas cenas eróticas de Sade, não se trata de outra coisa senão de uma obra reduzida unicamente à Palavra de transgressão, uma obra que, em certo sentido, apaga toda a Palavra já escrita e, por esse mesmo gesto, abre um espaço vazio, onde a literatura moderna vai ter seu lugar. Acredito que Sade seja o próprio paradigma da literatura.

E essa figura de Sade, que é a da Palavra de transgressão, tem seu duplo na figura do livro, do livro que se mantém em sua eternidade, tem seu duplo, seu oposto, na biblioteca, vale dizer, na existência horizontal da literatura, essa existência que não é, para dizer a verdade, simples, que não é unívoca, mas da qual, acredito, o paradigma gêmeo seria Chateaubriand.

Sem dúvida alguma a contemporaneidade de Sade e de Chateaubriand não é um acaso na literatura. Logo de entrada, a obra de Chateaubriand, já em sua primeira linha, quer ser um livro, quer se manter nesse nível de um murmúrio contínuo da literatura, quer se transferir imediatamente a essa espécie de eternidade poeirenta que é a da biblioteca absoluta. De imediato, ela busca se incorporar ao ser sólido da literatura, fazendo assim recuar para uma espécie de pré-história tudo aquilo que pôde ser dito ou escrito antes dele, Chateaubriand. De modo que, com poucos anos de diferença, pode-se dizer, acredito, que Chateaubriand e Sade constituem os dois limiares da literatura contemporânea. *Atala, ou os amores de dois selvagens no deserto* e *A nova Justine, ou os infortúnios da virtude* vieram à luz quase ao mesmo tempo. É claro, seria um jogo fácil aproximá-los ou opô-los, mas o que é preciso tentar compreender é o próprio sistema de pertencimento de ambos, é a dobra em que nasce, nesse momento, no fim do século XVIII, no início do XIX, em tais obras, em tais existências, a experiência moderna da literatura. Essa experiência, acredito que ela não seja dissociável da transgressão e da morte, ela não é dissociável dessa transgressão de que Sade fez toda sua vida e pela qual, aliás, pagou esse preço de liberdade que vocês sabem; quanto à morte, vocês também sabem que ela assombrou Chateaubriand desde o momento em que começou a escrever, era evidente para ele que a Palavra que escrevia só tinha sentido na medida em que ele estava de certa maneira já morto, na medida em que essa Palavra flutuava além de sua vida e além de sua existência.

Me parece que essa transgressão e essa passagem para além da morte representam duas grandes categorias da literatura contemporânea. Poderíamos dizer que na literatura, nessa forma de linguagem que existe desde o século XIX, há apenas dois sujeitos reais, dois sujeitos falantes na literatura: Édipo para a transgressão, Orfeu para a morte; e há apenas duas figuras de que se fala, e às quais, ao mesmo tempo, a meia-voz e como de viés, nos endereçamos, essas duas figuras são a figura de Jocasta profanada e a figura de Eurídice perdida e reencontrada. Me parece que essas duas categorias, portanto, da transgressão e da morte, se quiserem, do interdito e da biblioteca, distribuem mais ou menos aquilo que poderíamos chamar de o espaço próprio da literatura. É, em todo caso, a partir desse lugar que alguma coisa como a literatura vem até nós. É importante se dar conta de que a literatura, a obra literária, não vem de uma espécie de brancura de antes da linguagem, mas justamente da repetição contínua da biblioteca, da impureza já mortífera da palavra, e é a partir desse momento que a linguagem realmente nos faz signo e faz signo ao mesmo tempo para a literatura.

A obra faz signo para a literatura, o que isso quer dizer? Isso quer dizer que a obra solicita a literatura, que ela lhe dá garantias, que ela se impõe um certo número de marcas que provam para ela própria e para os outros que ela é mesmo literatura. Esses signos, reais, pelos quais cada palavra, cada frase indica seu pertencimento à literatura, são o que a crítica recente, desde Roland Barthes, chama de escrita.[44]

Essa escrita faz de toda obra, de alguma forma, uma pequena representação, como um modelo concreto da literatura. Ela detém a essência da literatura, mas oferece

[44] Optei por traduzir, ao longo de todo o livro, *écriture* por "escrita", em vez de "escritura". (N.T.)

dela ao mesmo tempo sua imagem visível, real. Nesse sentido, pode-se dizer que toda obra diz não apenas aquilo que diz, aquilo que conta, sua história, sua fábula, mas, de quebra, diz o que a literatura é. Só que ela não diz isso em dois tempos, um tempo para o conteúdo e um tempo para a retórica; ela o diz numa unidade. Essa unidade é assinalada precisamente pelo fato de que a retórica, no fim do século XVIII, desapareceu.

A retórica desapareceu; isso quer dizer que a literatura está encarregada, a partir dessa desaparição, de definir ela própria os signos e os jogos através dos quais ela vai ser, precisamente, literatura. Podemos, portanto, dizer, se quiserem, que a literatura, tal como ela existe desde o desaparecimento da retórica, não terá por tarefa contar alguma coisa e a seguir acrescentar os signos manifestos e visíveis de que se trata de literatura – os signos da retórica –, ela vai ser obrigada a ter uma linguagem única e, contudo, uma linguagem duplicada, já que, ao mesmo tempo que conta uma história, que conta alguma coisa, deverá, a cada instante, mostrar e tornar visível o que a literatura é, o que a linguagem da literatura é, já que a retórica desapareceu, ela que era outrora encarregada de dizer o que uma bela linguagem devia ser.

Pode-se dizer, portanto, que a literatura é uma linguagem ao mesmo tempo única e submissa à lei do duplo; ocorre com a literatura aquilo que ocorria com o duplo em Dostoiévski,[45] essa distância já dada na bruma e na noite, essa outra figura que, pelos labirintos das ruas, não

[45] Dostoiévski que, em sua novela *O duplo*, explora precisamente essa temática cara a Foucault, a ponto de este ter utilizado um longo extrato desse texto em seu programa radiofônico "O corpo e seus duplos", transmitido no dia 28 de janeiro de 1963 no programa O Uso da Palavra, de Jean Doat.

para de duplicar a gente e que, no entanto, vem também ao encontro do passeante, e isso até o pânico, que faz reconhecer, no momento em que a gente se encontra bem na frente dele, o duplo.

É um jogo semelhante que se produz entre a obra e a literatura, a obra vai incessantemente ao encontro da literatura, a literatura é essa espécie de duplo que passeia diante da obra, a obra não a reconhece nunca, cruza-a, entretanto, sem parar, mas, justamente, falta sempre esse momento de pânico que encontramos em Dostoiévski.

Na literatura, nunca há encontro absoluto entre a obra real e a literatura em carne e osso. A obra nunca encontra seu duplo enfim revelado, e, nessa medida, a obra é essa distância, essa distância que há entre a linguagem e a literatura, é essa espécie de espaço de duplicação, esse espaço do espelho, o que se poderia chamar de simulacro.

Me parece que a literatura, o ser mesmo da literatura, se o interrogarmos sobre o que ele é, só poderá responder uma coisa: é que não há ser da literatura; há simplesmente um simulacro, um simulacro que é todo o ser da literatura. E me parece que a obra de Proust nos mostraria muito bem em que medida e como a literatura é simulacro. *Em busca do tempo perdido*, como se sabe, é o relato de um percurso que não vai da vida de Proust até a obra de Proust, mas que parte do momento em que a vida de Proust – sua vida real, sua vida mundana, etc. – se suspende, se interrompe, se fecha sobre si mesma; e é exatamente na medida em que a vida se recurva sobre si mesma que a obra vai poder se inaugurar e abrir seu próprio espaço.

Mas essa vida de Proust, essa vida real, ela nunca é contada na obra. E, por outro lado, essa obra pela qual ele suspendeu sua vida e decidiu interromper sua vida mundana, essa obra nunca é dada também, já que

Proust conta como, precisamente, ele vai chegar a essa obra, a essa obra que deveria começar na última linha do livro, mas que nunca é, em realidade, dada em seu próprio corpo.

De tal modo que, no título *Em busca do tempo perdido*, a palavra "perdido" tem ao menos três significações. Em primeiro lugar, isso quer dizer que o tempo da vida aparece agora como encerrado, longínquo, irrecuperável, perdido. Em segundo, o tempo da obra, que precisamente não tem mais o tempo de ser feita, já que, quando o texto realmente escrito termina, a obra ainda não está lá, o tempo da obra que não pôde chegar a se fazer e que devia contar a gênese da obra foi de certa forma desperdiçado de antemão: não somente pela vida, mas também pela narrativa que Proust faz da maneira como vai escrever sua obra. E, finalmente, esse tempo sem lar nem lugar, esse tempo sem data nem cronologia, que flutua em plena deriva, como que perdido entre a linguagem sufocada de todos os dias e aquela, cintilante, da obra enfim iluminada, esse tempo é aquele que vemos na própria obra de Proust, que vemos surgir por fragmentos, que vemos aparecer à deriva, sem cronologia real; é um tempo que está perdido e que só pode ser redescoberto por fragmentos, como pedaços de ouro. De forma que a obra, em Proust, nunca é ela própria dada na literatura. A obra real de Proust nada é senão o projeto de fazer uma obra, o projeto de fazer literatura, mas, indefinidamente, a obra real é retida no limiar da literatura. No momento em que a linguagem real, que conta essa vinda da literatura, vai se calar, para que, finalmente, a obra possa aparecer em sua Palavra soberana, inevitável, nesse momento, a obra real termina, o tempo terminou, de modo que se pode dizer que, num quarto sentido, o tempo foi perdido justo no momento em que foi redescoberto.

Vocês veem que, numa obra como a de Proust, não se pode dizer que há um momento que seja realmente a obra, não se pode dizer que há um só momento que seja realmente a literatura. Na verdade, toda a linguagem real de Proust, toda essa linguagem que lemos agora, e que chamamos de sua obra, e da qual dizemos que é literatura, na verdade, se perguntamos o que ela é, não para nós, mas em si, percebemos que não é nem uma obra nem literatura, mas essa espécie de espaço intermediário, de espaço virtual, como aquele que se pode ver, mas nunca tocar, nos espelhos; e é esse espaço de simulacro que confere à obra de Proust seu verdadeiro volume.

Nessa medida, é preciso convir que o próprio projeto de Proust, o ato literário que ele consumou quando escreveu sua obra, não tem realmente nenhum ser assinalável, não pode jamais ser situado num ponto qualquer da linguagem ou da literatura; na verdade, só se pode encontrar o simulacro, o simulacro da literatura. E a importância aparente do tempo em Proust vem simplesmente do fato de que o tempo proustiano, que é, por um lado, dispersão e emurchecimento e, por outro, retorno e identidade dos momentos felizes, esse tempo proustiano não é mais que a projeção interna, temática, dramatizada, contada, recitada dessa distância essencial entre a obra e a literatura, que constitui, acredito, o ser profundo da linguagem literária.

Portanto, se tivéssemos de caracterizar o que é a literatura, encontraríamos essa figura negativa da transgressão e do interdito, simbolizada por Sade; essa figura da repetição contínua, essa imagem do homem que desce ao túmulo com um crucifixo na mão, desse homem que nunca escreveu senão "além-túmulo", finalmente, portanto, encontraríamos essa figura da morte, simbolizada por Chateaubriand; e então encontraríamos essa figura do simulacro. Figuras, não diria negativas, mas sem positividade alguma, e entre as quais o ser da literatura me parece fundamentalmente dispersado e despedaçado.

Mas talvez ainda nos falte, para definir o que é a literatura, algo de essencial. Em todo caso, há uma coisa que ainda não dissemos, que é, no entanto, historicamente, muito importante para saber o que é essa forma de linguagem que surgiu a partir do século XIX. É evidente, de fato, que a transgressão não basta para definir totalmente a literatura, já que certamente havia literaturas transgressivas antes do século XIX. É evidente que também não é o simulacro que basta para definir a literatura, já que antes de Proust havia algo como o simulacro, vejam Cervantes, que escreve o simulacro de um romance, vejam igualmente Diderot, com *Jacques, o fatalista*. Em todos esses textos, encontramos esse espaço virtual onde não há nem literatura nem obra, e onde, no entanto, há perpetuamente troca entre a obra e a literatura.

"Ah, se eu fosse romancista" – diz Jacques, o fatalista, a seu amo – "aquilo que vos conto seria muito mais bonito que a realidade que vos narro; se quisesse embelezar tudo o que vos conto, veríeis como isso seria então bela literatura, mas não posso, não estou fazendo literatura, sou obrigado a vos contar o que é..." E é nesse simulacro de literatura, nesse simulacro de recusa da literatura que Diderot escreve um romance que é, no fundo, o simulacro de um romance. De fato, esse problema do simulacro, por exemplo em Diderot e na literatura a partir do século XIX, é importante para nos introduzir àquilo que me parece central no fato da literatura. Em *Jacques, o fatalista*, com efeito, vocês sabem que a história se desenvolve em vários níveis. De uma parte, o nível número um é a narrativa, feita por Diderot, da viagem e dos seis diálogos entre Jacques, dito o fatalista, e seu amo.

Então essa narrativa de Diderot é interrompida pelo fato de que Jacques, de algum modo, toma a palavra no lugar de Diderot e começa a contar seus amores. E depois, a narrativa dos amores de Jacques é novamente interrompida, é interrompida por uma narrativa de terceiro nível, por uma série de relatos de terceiro nível, em que vemos, por exemplo, as anfitriãs, ou o capitão, etc. contarem suas próprias histórias. E assim, temos no interior da narrativa toda uma espessura de narrativas que se encaixam como bonecas japonesas,[46] e é isso que constitui o pastiche do romance de aventura que *Jacques, o fatalista* é.

Mas o que é importante, o que me parece realmente característico, não é apenas esse encaixamento de narrativas umas nas outras, mas também o fato de que, a cada instante, Diderot, de algum modo, faz a narrativa saltar para trás, e impõe a essas narrativas que se encaixam espécies de figuras retrógradas que levam incessantemente para uma espécie de realidade, de realidade da linguagem neutra, da linguagem primeira, que seria a linguagem de todos os dias, a linguagem do próprio Diderot, a própria linguagem dos leitores.

E essas figuras retrógradas são de três espécies. Há, em primeiro lugar, as reações dos personagens da narrativa encaixante, que, a cada instante, interrompem a narrativa que estão escutando; em segundo, vocês têm os personagens que vemos aparecer numa narrativa encaixada – em dado momento, a anfitriã conta a história de alguém que ninguém vê; ele está simplesmente alojado

[46] "*Des récits gigognes*" [narrativas gigognes], diz o manuscrito preparatório de Foucault. [*Mère Gigogne* é uma personagem tradicional do teatro de marionete francês. Uma mãe de cujas saias vão saindo seus diversos filhos. A ideia é evidentemente a de narrativas umas dentro das outras, como as bonecas *russas* a que Foucault provavelmente quis aludir.]

ali, virtualmente, nessa narrativa, e então, eis que bruscamente, na narrativa de Diderot, vemos surgir esse personagem real, quando, na realidade, ele só tinha existência encaixado no interior da narrativa feita pela anfitriã. Depois, terceira figura, a cada instante Diderot se dirige ao leitor para lhe dizer: "Aquilo que estou contando para você, você deve achar isso extraordinário, mas foi assim que as coisas se passaram; é claro, essa aventura, ela não é conforme às regras da literatura, ela não é conforme às regras das narrativas bem-feitas, mas não sou o dono dos meus personagens, eles me transbordam, chegaram a meu horizonte com seus passados, suas aventuras, seus enigmas, não faço mais que lhe contar as coisas tais como elas efetivamente se passaram...". Assim, do núcleo mais revestido, mais indireto da narrativa, até uma realidade que é contemporânea, ou mesmo anterior à escrita, Diderot não faz outra coisa além de se desengatar, de algum modo, ele próprio, em relação a sua própria literatura. Trata-se, a cada instante, de mostrar que, na verdade, tudo isso não é literatura, e que há uma linguagem imediata e primeira, a única sólida, e sobre a qual se encontram construídas, arbitrariamente e por simples prazer, as próprias narrativas.

Essa estrutura é uma estrutura que é característica de Diderot, mas que se encontra igualmente em Cervantes e em inúmeras narrativas do século XVI ao XVIII. Para a literatura, vale dizer, para essa forma de linguagem que se inaugura no século XIX, jogos como esses de *Jacques, o fatalista*, de que acabo de lhes falar, não são mais, em realidade, que brincadeirinhas.

Quando Joyce, por exemplo, se diverte em fazer um romance que é, se quiserem, inteiramente construído sobre a *Odisseia*, ele não faz de modo algum como Diderot, quando este constrói um romance sobre o modelo do romance picaresco; na verdade, quando Joyce repete Ulisses, repete para que nessa dobra da linguagem, repetida sobre si mesma, alguma coisa apareça, que não seja, como em Diderot, a linguagem de todos os dias, mas alguma coisa que seja como o próprio nascimento da literatura. Vale dizer que Joyce faz com que, no interior de sua narrativa, no interior de suas frases, das palavras que emprega, dessa narrativa infinita do dia de um homem como qualquer outro numa cidade como qualquer outra, alguma coisa se abra, que seja a uma só vez a ausência da literatura e sua iminência, que seja o fato de que ela está ali, a literatura, absolutamente, e ela está ali absolutamente porque se trata de Ulisses, mas ao mesmo tempo na distância; de alguma maneira, se quiserem, na maior proximidade de seu afastamento.

Daí, decerto, essa configuração que é essencial ao *Ulisses* de Joyce: por um lado, as figuras circulares, o círculo do tempo que vai da manhã até a noite; então, o círculo do espaço, que dá a volta na cidade, com o passeio do personagem. Depois, fora dessas figuras circulares, vocês têm uma espécie de relação perpendicular e virtual, uma relação ponto por ponto, uma relação biunívoca entre cada episódio do *Ulisses* de Joyce e cada aventura da *Odisseia*. E através dessa referência, a cada instante, as aventuras do personagem de Joyce não são duplicadas e sobreimpressas, elas são, ao contrário, tornadas ocas por essa presença ausente do personagem da *Odisseia*, que é, ele, o detentor, mas o detentor absolutamente distante, nunca acessível, da literatura.

Talvez pudéssemos dizer, para resumir tudo isso, que a obra da linguagem, na época clássica, não era verdadeiramente literatura. Por que não se pode dizer que *Jacques, o fatalista*, ou Cervantes, por que não se pode dizer que Racine é literatura, ou Corneille, ou Eurípides, salvo para nós, é claro, na medida em que os integramos a nossa linguagem? Por que é que, naquele momento, a relação de Diderot com sua própria linguagem não era essa relação literária de que acabo de lhes falar?

Acho que poderíamos dizer isto: na época clássica, ou pelo menos no fim do século XVIII, toda obra de linguagem existia em função de certa linguagem muda e primitiva, que a obra estava encarregada de restituir. Essa linguagem muda era, de algum modo, o fundo inicial, o fundo absoluto sobre o qual toda obra vinha em seguida se destacar, e no interior do qual ela vinha se alojar. Essa linguagem muda, essa linguagem de antes das linguagens, era a Palavra de Deus, era a verdade, era o modelo, eram os Antigos, era a bíblia, dando à própria palavra "bíblia" seu sentido absoluto, ou seja, seu sentido comum. Havia uma espécie de livro prévio, que era a verdade, que era a natureza, que era a Palavra de Deus, e que ocultava, de algum modo, em si, e que pronunciava, ao mesmo tempo, toda a verdade.

E essa linguagem soberana e retida era tal que, por um lado, toda outra linguagem, toda linguagem humana, quando queria ser uma obra, devia simplesmente retraduzi-la, retranscrevê-la, repeti-la, restituí-la. Mas, por outro lado, essa linguagem de Deus, ou essa linguagem da natureza, ou essa linguagem da verdade, estava, no entanto, escondida. Era o fundamento de todo o desvelamento e, no entanto, ela própria estava oculta, não podia ser transcrita diretamente. Daí a necessidade desses deslizamentos, dessas torções de palavras, de todo esse sistema que se chama precisamente retórica. No fim das contas, as metáforas, as metonímias, as sinédoques, etc., o que era tudo isso senão o esforço para, com palavras humanas, que são obscuras e ocultas para si mesmas, reencontrar, através de um jogo de aberturas e como que através de chicanas, reencontrar essa linguagem muda que a obra tinha por sentido e por tarefa restituir e restaurar.

Em outras palavras, entre uma linguagem tagarela, que não dizia nada, e uma linguagem absoluta, que dizia tudo mas não mostrava nada, era preciso que houvesse uma linguagem intermediária, uma linguagem intermediária que reconduzisse da linguagem tagarela à linguagem muda da natureza e de Deus – precisamente a linguagem literária. Se chamarmos de signo, com Berkeley, com os filósofos do século XVIII, aquilo mesmo que era dito pela natureza ou por Deus, podemos dizer isto, simplesmente: que a obra clássica se caracteriza pelo fato de que nela se buscava, por meio de um jogo de figuras, que eram as figuras da retórica, reconduzir a espessura, a opacidade, a obscuridade da linguagem à transparência, à luminosidade dos signos.

Ao contrário, a literatura começou quando se calou, para o mundo ocidental, para uma parte do mundo ocidental, essa linguagem que não cessara de ser escutada, de ser percebida, de ser suposta durante milênios. A partir do século XIX, a gente deixa de estar à escuta dessa primeira Palavra, e, em seu lugar, faz-se ouvir o infinito do murmúrio, o amontoamento das falas já proferidas; nessas condições, a obra não precisa mais tomar corpo nas figuras da retórica, que valiam como signos de uma linguagem muda, absoluta; a obra não precisa mais falar senão como uma linguagem que repete o que foi dito e que, pela força de sua repetição, ao mesmo tempo apaga tudo o que foi dito e o aproxima ao máximo de si, para se reapoderar da essência da literatura.

Pode-se dizer que a literatura começou no dia em que o espaço da retórica foi substituído por algo que poderíamos chamar de o volume do livro. É, aliás, muito curioso constatar que esse livro só se tornou um acontecimento no ser da literatura muito tardiamente. Só quatro séculos depois do momento em que foi realmente, tecnicamente, materialmente inventado é que o livro assumiu um estatuto na literatura; e o livro de Mallarmé é o primeiro livro da literatura. O livro de Mallarmé, esse projeto fundamentalmente fracassado, esse projeto que não podia não fracassar, é, se quiserem, a incidência do êxito de Gutenberg sobre a literatura. O livro de Mallarmé, que quer repetir e aniquilar ao mesmo tempo todos os outros livros, um livro que, em sua brancura, roça o ser para sempre inalcançável da literatura, responde a esse grande livro mudo, mas cheio de signos, que a obra clássica tentava recopiar, tentava representar. O livro de Mallarmé responde a esse grande livro, mas, ao mesmo tempo, o substitui: ele é a constatação de sua desaparição.

Compreende-se por que, agora, em seus prestígios – e não apenas em seus prestígios, mas também em sua essência –, por um lado, a obra clássica não era outra coisa além de uma re-presentação, pois tinha de re-presentar uma linguagem que já estava feita, e é por isso que, no fundo, sempre encontramos a própria essência da obra clássica, seja em Shakespeare, seja em Racine, no teatro, pois estamos no mundo da representação; e, inversamente, a essência da literatura, no sentido estrito do termo, a partir do século XIX, não é no teatro que vamos encontrá-la, é precisamente no livro.

E é finalmente nesse livro, nesse livro assassino de todos os outros livros, e que ao mesmo tempo assume em si o projeto, sempre frustrado, de fazer literatura, é finalmente nesse livro que a literatura encontra e funda seu ser. Se o livro existia, e com uma realidade muito densa, havia séculos, antes dessa invenção da literatura, ele não era, em realidade, o lugar da literatura: ele não era mais que uma ocasião material de transmitir linguagem. A melhor prova disso é que *Jacques, o fatalista*, escapava, ou tentava escapar, incessantemente, do feitiço dos livros de aventuras através desses saltos para trás de que falamos; e, da mesma forma, Dom Quixote e Cervantes.

Mas, na verdade, se a literatura consuma seu ser no livro, ela não acolhe placidamente a essência do livro – aliás, o livro, em realidade, não tem essência, não tem essência fora daquilo que ele contém. É por isso que a literatura será sempre o simulacro do livro; ela faz como se fosse um livro, finge ser uma série de livros. É por isso, também, que ela só pode se consumar através da agressão e da violência contra todos os outros livros; bem mais, através da agressão e da violência contra a essência plástica, irrisória, feminina do livro. A literatura é transgressão, a literatura é a virilidade da linguagem contra a feminilidade do livro; mas o que ela pode ser no fim das contas senão um livro entre todos os outros, um livro junto a todos os outros, no espaço linear da biblioteca? O que a literatura pode ser senão, precisamente, uma frágil existência póstuma da linguagem? É por isso que essa literatura, agora que todo seu ser está dentro do livro, só pode ser, finalmente, de além-túmulo.

Assim, nessa espessura aberta e fechada do livro, nessas folhas que são, a uma só vez, brancas e cobertas de signos, nesse volume único – pois cada livro é único, e semelhante a todos, pois todos os livros se assemelham –, o que se recolhe é algo como o próprio ser da literatura. A literatura que não deve ser compreendida como a linguagem do homem, nem como a Palavra de Deus, nem como a linguagem da natureza, nem como a linguagem do coração ou do silêncio; a literatura é uma linguagem transgressiva, é uma linguagem mortal, repetitiva, redobrada, a linguagem do próprio livro. Na literatura, há apenas um sujeito que fala, um só fala, e é o livro, essa coisa que Cervantes, vocês se lembram, tanto quis queimar, o livro, essa coisa de que Diderot quis, em *Jacques, o fatalista*, tantas vezes escapar, o livro, essa coisa em que Sade foi, vocês sabem, enclausurado, e na qual nós, nós também, estamos enclausurados.

Segunda sessão

Ontem, eu lhes falei, ou tentei lhes falar, sobre a literatura, sobre esse ser de negação, e de simulacro, que toma corpo no livro. Esta noite, gostaria de fazer um movimento de recuo e tentar contornar um pouco esses enunciados que eu mesmo proferi sobre a literatura. Pois, no fim das contas, será que, realmente, é tão claro, tão evidente, tão imediato que se possa falar da literatura? Pois, no fim das contas, quando se fala da literatura, o que se tem como solo, como horizonte? Nada mais, decerto, que esse vazio que é deixado pela literatura ao redor dela, e que autoriza uma coisa um tanto estranha, talvez única, é que a literatura é uma linguagem ao infinito, que permite falar de si mesma ao infinito.

O que é essa reduplicação perpétua da literatura por linguagem sobre a literatura, o que é essa linguagem que é a literatura, e que autoriza, ao infinito, essas exegeses, esses comentários, esses redobramentos? Esse problema, acredito, não é claro. Ele não é claro em si mesmo, e me parece que, hoje, está menos claro do que nunca.

Ele não está claro hoje, e menos do que nunca, por certo número de razões. A primeira seria esta: que uma mudança ocorreu recentemente naquilo que se poderia chamar de crítica. Poderíamos dizer isto, que nunca a camada da linguagem crítica foi mais espessa do que hoje. Nunca se utilizou, com tanta frequência, essa linguagem segunda, que se chama crítica, e nunca, reciprocamente, a linguagem absolutamente primeira, a linguagem que só fala de si mesma, e em seu próprio nome, foi proporcionalmente mais tênue do que é hoje.

Ora, esse espessamento, essa multiplicação dos atos críticos, foi acompanhado por um fenômeno quase contrário. Esse fenômeno é, acredito, o seguinte: o personagem do crítico, do *Homo criticus*, que foi inventado mais ou menos no século XIX, entre La Harpe e Sainte-Beuve,[47] está se apagando justo no momento em que se multiplicam os atos de crítica. Vale dizer que os atos críticos, proliferando, dispersando-se, espalham-se, de algum modo, e vão se alojar já não em textos que são prepostos à crítica, mas em romances, em poemas, em reflexões, eventualmente em filosofias. Os verdadeiros atos da crítica, é preciso encontrá-los hoje em dia em poemas de Char, ou em fragmentos de Blanchot, em textos de Ponge, muito mais que em tais ou tais parcelas de linguagem que teriam sido, explicitamente, e pelo nome de seu autor, destinadas a serem atos críticos. Poderíamos dizer que a crítica se torna uma função geral da linguagem em geral, mas sem organismo, sem sujeito próprio.

---

[47] Charles-Augustin Sainte-Beuve (1804-1869), crítico literário que ficou célebre por sua maneira de abordar, através de um método formalizado, a obra literária pelo prisma da biografia de seu autor. É contra essa ótica que Proust se erguerá em seu *Contra Sainte-Beuve*. Proust para quem, se esclarecimento há, ele provém da obra para eventualmente informar sobre a vida de seu autor – e não o inverso.

Ora – e este seria o terceiro fenômeno que torna difícil compreender o que é, atualmente, a crítica literária –, ora, atualmente, um novo fenômeno aparece, que é este: vemos estabelecer-se, de linguagem em linguagem, uma relação que não é mais exatamente uma relação crítica, ou, pelo menos, que não é conforme à ideia que se fazia, tradicionalmente, da crítica: aquela instituição julgadora, hierarquizante, aquela instituição mediadora entre uma linguagem criadora, um autor criador, e um público que seria simplesmente seu consumidor. Forma-se, hoje em dia, uma relação muito diferente entre a linguagem que se pode chamar primeira, e que chamamos mais simplesmente de literatura, e essa linguagem segunda, que fala da literatura, e que normalmente chamamos de crítica. De fato, a crítica se vê atualmente solicitada por duas novas formas de relação a estabelecer entre ela e a literatura.

Parece-me que, atualmente, a crítica visa estabelecer, em relação à literatura, em relação à linguagem primeira, uma espécie de rede objetiva, discursiva, justificável em cada um de seus pontos, demonstrável, uma relação em que aquilo que é primeiro, constitutivo, não é o gosto do crítico, um gosto mais ou menos secreto, ou mais ou menos manifesto, mas o que é essencial, nessa relação, seria um método, necessariamente explícito, um método de análise, que pode ser um método psicanalítico, linguístico, temático, formal, como quiserem. Portanto, a crítica está se colocando o problema de seu fundamento na ordem da positividade, ou da ciência.

E, por outro lado, a crítica desempenha um papel realmente novo, que não tem mais nada a ver com o papel que tinha outrora, e que era o papel de intermediária entre a escrita e a literatura. Na época de Sainte-Beuve, até hoje ainda, no fim das contas, o que era fazer crítica? Era fazer uma espécie de leitura privilegiada, primeira, uma leitura mais matinal do que todas as outras, e que permitia assim tornar a escrita, necessariamente um pouco opaca, obscura ou esotérica do autor, acessível a esses leitores de segunda zona que seríamos todos nós, nós, leitores, que precisamos passar pela crítica para compreender o que lemos. Em outras palavras, a crítica era a forma privilegiada, absoluta e primeira da leitura.

Ora, me parece que, agora, o que há de importante na crítica é que ela está passando para o lado da escrita. E isso de duas maneiras. Em primeiro lugar, porque, cada vez mais, a crítica se interessa já não pelo momento psicológico da criação da obra, mas pelo que é a escrita, pela própria espessura da escrita dos escritores, essa escrita que tem suas formas, suas configurações. E depois, também, porque a crítica deixa de querer ser uma leitura melhor ou mais matinal, ou mais bem armada; a crítica está se tornando ela própria um ato de escrita. Decerto, uma escrita segunda em relação a outra, mas uma escrita mesmo assim, que forma com todas as outras um entrelace, uma rede, um emaranhado de pontos e de linhas. Esses pontos e essas linhas da escrita em geral se cruzam, se repetem, se recobrem, se defasam, para formar finalmente uma neutralidade total, o que poderíamos chamar de o total da crítica e da literatura, vale dizer, o atual hieróglifo flutuante da escrita em geral.

Vocês veem a que ambiguidade nos encontramos confrontados quando se trata de tentar pensar o que é essa linguagem segunda, que vem se acrescentar à linguagem primeira da literatura e que pretende, a um só tempo, sustentar sobre essa primeira linguagem um discurso absolutamente positivo, explícito, inteiramente discursivo e demonstrável, e então que tenta ao mesmo tempo ser um ato de escrita, como a literatura. Como chegar a pensar esse paradoxo? Como a crítica pode chegar a ser, simultaneamente, essa linguagem segunda e, ao mesmo tempo, algo como uma linguagem primeira, é isso que eu queria tentar elucidar com vocês, para saber o que é, em suma, a crítica.

Vocês sabem que, bem recentemente, há talvez uma dezena de anos, não mais, para tentar explicar o que era a crítica, um linguista, Jakobson,[48] introduziu uma noção que tomou emprestada aos lógicos, a noção de metalinguagem. E sugeriu que, no fim das contas, a crítica era, como a gramática, como a estilística, como a linguística em geral, uma metalinguagem. É evidentemente uma noção muito sedutora, e que parece, pelo menos à primeira vista, ajustar-se perfeitamente, já que a noção de metalinguagem nos coloca em presença de duas propriedades que são, no fundo, essenciais para definir as propriedades de uma determinada linguagem, as formas de uma linguagem, os códigos, as leis de uma linguagem, numa outra linguagem. E a segunda propriedade da metalinguagem é que essa segunda linguagem, na qual se podem definir as formas, as leis e os códigos da primeira linguagem, essa segunda linguagem não é necessariamente diferente, em substância, da linguagem primeira. Já que, afinal, pode-se fazer a metalinguagem do francês em francês, pode-se fazê-la, é claro, em alemão, em inglês, em qualquer língua, pode-se fazê-la também numa linguagem simbólica inventada para esse fim; por conseguinte, tem-se aí, nessa possibilidade de recuo absoluto em relação à linguagem primeira, uma

[48] Roman Jakobson (1896-1982), linguista russo, leitor de Ferdinand de Saussure, que conferiu toda sua amplitude à linguística, fazendo dela, notadamente, a matriz do estruturalismo.

possibilidade, a um só tempo, de formular sobre ela um discurso inteiramente discursivo e de, não obstante, estar inteiramente no mesmo plano que ela.

Não estou certo, no entanto, de que essa noção de metalinguagem, que parece definir, ao menos abstratamente, o lugar lógico onde a crítica poderia se alojar, não me parece que essa noção de metalinguagem deva ser retida para definir o que é a crítica. De fato, talvez fosse preciso, para explicar essa reticência a respeito da noção de metalinguagem, voltar um pouco sobre o que dizíamos ontem a propósito da literatura. Vocês lembram que o livro nos apareceu como o lugar da literatura, vale dizer, como o espaço onde a obra oferece a si mesma o simulacro da literatura, num certo jogo de espelho e de irrealidade, em que se tratava ao mesmo tempo da transgressão e da morte. Se tentamos expressar a mesma coisa no vocabulário dos especialistas da linguagem, talvez possamos dizer algo como isto: a literatura, evidentemente, é um dos inúmeros fenômenos de fala que são efetivamente pronunciados pelos homens. Como todos os fenômenos de fala, a literatura só é possível na medida em que essas falas se confundem com a língua, com esse horizonte geral que constitui o código de uma língua dada. Logo, toda literatura, como ato de fala, só é possível em relação a essa língua, em relação a essas estruturas de códigos que tornam cada palavra da língua efetivamente pronunciada, que a tornam transparente, que permitem que seja compreendida. Se as frases têm um sentido, é porque cada fenômeno de fala se encontra alojado no horizonte virtual mas absolutamente coativo da língua. Tudo isso são noções, é claro, muito conhecidas.

Mas será que não se poderia dizer isto, que a literatura é um fenômeno de fala extremamente singular e que se distingue provavelmente de todos os outros fenômenos de fala? De fato, a literatura, no fundo, é uma fala que obedece talvez ao código em que está situada, mas que, no exato momento em que começa, e em cada uma das palavras que pronuncia, compromete o código em que se encontra situada e compreendida. Vale dizer que, cada vez que alguém pega na pena para escrever alguma coisa, trata-se de literatura na medida em que, se quiserem, a coação do código se encontra suspensa no próprio ato que consiste em escrever a palavra – suspensão que faz com que, no limite, essa palavra possa muito bem não obedecer ao código da língua. Se, efetivamente, cada palavra escrita por um literato não obedecesse ao código da língua, ela não poderia absolutamente ser compreendida, seria absolutamente uma Palavra de loucura – e talvez esteja aí a razão do copertencimento essencial da literatura e da loucura em nossos dias. Mas isso é uma outra questão; podemos dizer simplesmente isto: que a literatura é o risco sempre corrido e sempre assumido por cada palavra de uma frase de literatura, o risco de que, afinal, essa palavra, essa frase, e então todo o resto, não obedeçam ao código. As duas frases: "Por muito tempo, deitei-me cedo", e esta outra: "Por muito tempo, deitei-me cedo", a primeira sendo aquela que digo, a segunda aquela que leio em Proust, essas duas frases são verbalmente idênticas; mas são, na realidade, profundamente diferentes. A partir do momento em que é escrita por Proust no limiar de *Em busca do tempo perdido*, pode ser que, no limite, nenhuma dessas palavras tenha exatamente o sentido que atribuímos a elas quando as pronunciamos cotidianamente; pode ser muito bem que a fala tenha suspendido o código a que foi tomada de empréstimo.[49]

[49] Eis o que diz o manuscrito de trabalho de Foucault: "A diferença entre uma fala qualquer ('Ontem, deitei-me cedo') e esta frase: 'Por

Há, se quiserem, um risco sempre essencial, fundamental, sempre inapagável em toda literatura, o risco do esoterismo estrutural. Poderia muito bem acontecer de o código não ser respeitado; em todo caso, a Palavra literária tem sempre o direito soberano de suspender esse código, e é a presença dessa soberania, mesmo se ela não é, na prática, exercida, que constitui provavelmente o perigo e a grandeza de toda obra literária. Nessa medida, não me parece que a metalinguagem possa ser realmente aplicada como método para a crítica literária, que ela possa ser proposta como horizonte lógico sobre o qual poderíamos situar o que é a crítica. Porque a metalinguagem implica precisamente que se faça a teoria de toda fala efetivamente pronunciada, a partir do código que foi estabelecido para a língua. Se o código se encontra comprometido na fala, se, no limite, o código pode absolutamente não valer, nesse momento, não é possível fazer a metalinguagem de semelhante fala, somos obrigados a recorrer a outra coisa. Ao que recorrer, por conseguinte, para definir a literatura, se não se recorre à noção de metalinguagem?

Talvez seja preciso ser mais modesto, e, em vez de avançar imprudentemente essa palavra toda ouriçada de lógica que é a palavra "metalinguagem", será que não poderíamos simplesmente constatar esta evidência quase imperceptível, mas que me parece decisiva, de que a linguagem é talvez o único ser absolutamente repetível que existe no mundo?

---

muito tempo, deitei-me cedo' não está no fato de que a segunda é mais bela e mais enfeitada; é que, no momento em que ela é pronunciada, certo risco é corrido obscuramente (abaixo de toda aparência visível), que faz com que, afinal, a fala que começa assim talvez não obedeça ao código linguístico".

É claro, há outros seres no mundo que são repetíveis; encontramos duas vezes o mesmo animal, encontramos duas vezes a mesma planta. Mas, na ordem da natureza, a repetição não é, em realidade, mais que uma identidade parcial, aliás, perfeitamente analisável de um modo discursivo. Só há repetições, em sentido estrito, acredito, na ordem da linguagem. E, decerto, seria preciso fazer um dia a análise de todas as formas de repetição possíveis que há na linguagem, e é talvez na análise dessas formas de repetição que se poderá esboçar algo que seria como uma ontologia da linguagem. Digamos simplesmente agora, de uma maneira muito simples, que a linguagem não para de se repetir.

Os linguistas sabem disso muito bem, eles que mostraram quão poucos fonemas eram necessários para constituir o vocabulário total de uma língua. Esses mesmos linguistas, e da mesma forma os autores de dicionários, sabem quão poucas palavras são necessárias, finalmente, para chegar a constituir todos os enunciados possíveis, infinitos, quantidade necessariamente aberta, que são os enunciados que pronunciamos todos os dias. Não paramos de pronunciar certa estrutura de repetição, repetição fonética, repetição semântica das palavras, e é bem sabido que a linguagem pode se repetir, exceto pela voz e pelo momento da elocução: pode-se dizer a mesma frase, pode-se dizer a mesma coisa com outras palavras, e é precisamente nisso que consiste a exegese, o comentário, etc.; pode-se até repetir uma linguagem em sua forma, suspendendo inteiramente seu sentido, e é o que fazem os teóricos da linguagem quando repetem uma língua em sua estrutura gramatical, ou em sua estrutura morfológica.

Vocês estão vendo que, de qualquer maneira, a linguagem é, de certo modo, o único lugar do ser, provavelmente, em que algo como a repetição seja absolutamente possível. Ora, esse fenômeno da repetição na linguagem é uma propriedade constitutiva, é claro, da linguagem, mas essa propriedade não permanece neutra e inerte em relação ao ato de escrever. Escrever não é contornar a repetição necessária da linguagem; escrever, no sentido literário, é, acredito, colocar a repetição no próprio coração da obra, e talvez seja preciso dizer que a literatura, ocidental, é claro – pois não conheço as outras e não sei o que se poderia dizer delas –, a literatura ocidental deve ter começado com Homero, Homero que, justamente, utilizou uma surpreendente estrutura de repetição na *Odisseia*. Lembrem-se do canto VIII da *Odisseia*, em que vemos Ulisses, que chegou à terra dos feácios e que ainda não se deixou reconhecer por eles. Ulisses é convidado para o banquete dos feácios, ninguém o reconheceu. Simplesmente houve sua força nos jogos, seu triunfo sobre os adversários, que mostraram que ele era um herói, mas não traíram sua verdadeira identidade. Ele está, portanto, ali e escondido. E, no meio desse banquete, chega um aedo: ele vem cantar as aventuras de Ulisses, ele vem cantar as façanhas de Ulisses, as aventuras e as façanhas que estão precisamente tendo continuidade sob os olhos do aedo, já que Ulisses está ali. Essas façanhas, que estão longe de acabar, contêm, portanto, sua própria narrativa como um de seus episódios, já que pertence às aventuras de Ulisses que em determinado momento ele ouça um aedo cantar as aventuras de Ulisses. E assim, a *Odisseia* se repete no interior de si mesma, a *Odisseia* tem essa espécie de espelho central, no coração de sua própria linguagem, de forma que o texto de Homero se enrola sobre si mesmo, se envolve ou se desenvolve ao redor de seu centro, e se redobra, num movimento que lhe é essencial. Parece-me que essa estrutura, que encontramos, aliás, com muita frequência – encontramo-la nas *Mil e uma noites*, quando uma delas é consagrada à história de Sherazade contando as mil e uma noites a um sultão para escapar da morte –, é provavelmente constitutiva do próprio ser da literatura, se não em geral, ao menos da literatura ocidental.

Há provavelmente, e mesmo certamente, uma distinção muito importante entre essa estrutura de repetição e a estrutura de repetição interna que encontramos na literatura moderna. Na *Odisseia*, de fato, via-se o canto infinito do aedo que perseguia de certo modo Ulisses e tentava alcançá-lo; e então, ao mesmo tempo, via-se esse canto do aedo que estava sempre já começado e que vinha ao encontro de Ulisses, que o acolhia em sua própria lenda e o fazia falar no exato momento em que ele se calava, que o desvelava quando ele se ocultava. Na literatura moderna, a autorreferência é provavelmente muito mais silenciosa que esse longo desencaixe contado por Homero. É provável que seja na espessura de sua linguagem que a literatura moderna se repita a si mesma, e, provavelmente, por meio desse jogo entre a fala e o código de que falei agora há pouco.

Em todo caso, gostaria de terminar essas considerações sobre a metalinguagem e as estruturas de repetição dizendo-lhes isto, sugerindo-lhes isto: vocês não acham que se poderia, nesse momento, definir a crítica, de uma maneira muito ingênua, não como uma metalinguagem, mas como a repetição do que há de repetível na linguagem? E, nessa medida, a crítica literária provavelmente não faria mais que se inscrever numa grande tradição exegética, que começou, ao menos para o mundo grego, já com os primeiros gramáticos que comentaram Homero. Será que não se poderia dizer, numa primeira aproximação, que a crítica é pura e simplesmente o discurso dos duplos, vale dizer, a análise das distâncias e das diferenças nas quais se repartem as identidades da linguagem? E, nesse momento, veríamos, aliás, três formas de crítica realmente possíveis. Uma, a primeira, seria, se quiserem, a ciência, ou o conhecimento, ou o repertório das figuras pelas quais os elementos idênticos da linguagem são repetidos, variados, combinados – como variam, se combinam, se repetem os elementos fonéticos, os elementos semânticos, os elementos sintáticos, em suma, a crítica entendida nesse sentido como ciência das repetições formais da linguagem. Isso tem um nome e existiu por muito tempo: é a retórica. E, então, há uma segunda forma de ciência dos duplos, que seria a análise das identidades ou das modificações ou das mutações do sentido através da diversidade das linguagens – como é que se pode repetir um sentido com palavras diferentes; e vocês sabem que é mais ou menos isso que fez a crítica no sentido clássico do termo, desde Sainte-Beuve até praticamente hoje em dia, quando se tentava reencontrar a identidade de uma significação psicológica, ou histórica, enfim, a identidade de um tematismo qualquer, através da pluralidade de uma obra. É isso que se chama tradicionalmente de crítica.

Então me pergunto se não poderia haver lugar, e se não há lugar já agora, para uma terceira forma de crítica, que seria a decifração dessa autorreferência, dessa implicação que a obra faz de si mesma, nessa estrutura espessa de repetição de que falei agora há pouco a respeito de Homero; será que não haveria lugar para a análise dessa curva pela qual a obra se designa sempre no interior de si mesma e se dá como repetição da linguagem pela linguagem? Parece-me que é mais ou menos isso, é a análise dessa implicação da própria obra, a análise desses signos pelos quais a obra não cessa de se designar no interior de si mesma, acredito que é isso, em suma, que dá sua significação a esses empreendimentos diversos e polimorfos a que chamam hoje análise literária.

E gostaria de lhes mostrar como essa noção de análise literária, que é utilizada e aplicada por pessoas diferentes, por Barthes, Starobinski,[50] etc., como essa análise literária pode, acredito, fundar uma reflexão, enfim, abrir para e desembocar sobre uma reflexão *quase* filosófica – pois não me gabo de fazer verdadeira filosofia, assim como não permitia ontem aos literatos fazer verdadeira literatura: eu estaria no simulacro da filosofia como ontem a literatura estava no simulacro da literatura. Portanto, gostaria de saber se não é em direção a um simulacro de filosofia que essas análises literárias poderiam nos conduzir.

Acho que poderíamos dividir os esboços de análise literária que foram feitos até agora em dois grupos, ou pelo menos lhes atribuir duas grandes direções diferentes. Uns concernem aos signos pelos quais as obras se designam no interior de si mesmas. E os outros concerniriam à maneira como se espacializa a distância que as obras tomam no interior de si mesmas.

Falarei para vocês agora, a título puramente programático, das análises que foram feitas, e que se poderiam fazer, provavelmente, para mostrar como as obras literárias não param de se designar no interior de si mesmas. Vocês

---

[50] Jean Starobinski, filósofo e historiador da literatura (nascido em Genebra, em 1920), é o autor de numerosos livros; na época em que Foucault dá essa conferência, a publicação de seu livro *Jean-Jacques Rousseau: la transparence et l'obstacle* (Paris: Plon, 1957 [edição brasileira: *Jean-Jacques Rousseau: a transparência e o obstáculo*. Seguido de sete ensaios sobre Rousseau. Tradução de Maria Lúcia Machado. São Paulo: Companhia das Letras, 1991]) já tinha dado o que falar, e os trabalhos que estava consagrando às pesquisas de Ferdinand de Saussure sobre os anagramas contribuíam para reforçar o elo entre análise literária e linguística estrutural.

sabem que é uma descoberta paradoxalmente recente esta, a saber, a de que a obra literária é feita, afinal, não com ideias, não com beleza e, sobretudo, não com sentimentos, mas que a obra literária é feita simplesmente com linguagem. Portanto, a partir de um sistema de signos. Mas esse sistema de signos não está isolado, ele faz parte de toda uma rede de outros signos, que são os signos que circulam numa dada sociedade, signos que não são linguísticos, mas signos que podem ser econômicos, monetários, religiosos, sociais, etc. A cada instante que se escolhe estudar na história de uma cultura, há, portanto, certo estado dos signos, um estado geral dos signos em geral, vale dizer que seria preciso estabelecer quais são os elementos que são suportes de valores significantes e a que regras obedecem esses elementos significantes em sua circulação.

Na medida em que é uma manipulação concertada dos signos verbais, podemos estar certos de que a obra literária faz parte, a título de região, de uma rede horizontal, muda ou tagarela, pouco importa, mas sempre cintilante, que forma, a cada momento, na história de uma cultura, o que se pode chamar de estado dos signos. E, por conseguinte, para saber como a literatura significa a si mesma, seria preciso saber como ela é significada, onde ela se situa no mundo dos signos de uma sociedade, coisa que praticamente nunca foi feita pelas sociedades contemporâneas, coisa que seria preciso fazer, tomando talvez como modelo um trabalho que versa sobre culturas muito mais arcaicas que as nossas – penso nos estudos feitos por Georges Dumézil[51] sobre as sociedades indo-europeias.

---

[51] Georges Dumézil (1898-1986), linguista e poliglota francês que realizou, especialmente em *Mythe et épopée* [Mito e epopeia]

E vocês sabem que ele mostrou como as lendas irlandesas, ou as sagas escandinavas, ou as narrativas históricas dos romanos, tais como são refletidas por Tito Lívio, ou as lendas armênias, como todo esse conjunto, que se poderia chamar de obras de linguagem se quisermos evitar a palavra "literatura", como todas essas obras de linguagem fazem parte, em realidade, de uma estrutura de signos muito mais geral. E que só podemos compreender o que são realmente essas lendas sob a condição de restabelecer a homogeneidade de estrutura que há entre elas e, por exemplo, tal ou qual ritual religioso ou social que encontramos numa outra sociedade indo-europeia. Nesse momento, percebe-se que a literatura, nessas sociedades, funcionava como um signo essencialmente social e religioso, e que é na exata medida em que assumia a função significante de um ritual religioso, de um ritual social, que a literatura existia, que ela era a um só tempo criada e consumida.

Hoje em dia, é bem provável – seria preciso verificar isso, seria preciso estabelecer o estado dos signos atualmente em nossa sociedade –, é bem provável que a literatura não esteja situada do lado dos signos religiosos, mas provavelmente muito mais do lado dos signos, digamos, do consumo ou da economia. Mas, no fim das contas, não temos ideia. É esse primeiro estrato semiológico, que fixa a região significante ocupada pela literatura, que seria preciso determinar.

Mas, em relação a esse primeiro estrato semiológico, pode-se dizer que a literatura é inerte; ela funciona, por certo, mas essa rede em que ela funciona não lhe

(1968), sua obra maior, um trabalho comparativo sobre as religiões e mitos indo-europeus, no seio dos quais identificou estruturas narrativas comuns.

pertence, a literatura não a domina. Seria preciso, portanto, levar adiante essa análise semiológica, ou, antes, desenvolvê-la em direção a um outro estrato que seria interno à obra. Vale dizer que seria preciso estabelecer qual é o sistema de signos que funciona não nessa cultura determinada, mas no interior de uma obra. Também aí estamos apenas nos rudimentos, de certo modo nas exceções. Saussure[52] deixou certo número de cadernos nos quais tentou definir, justamente, o uso e a estrutura dos signos fonéticos ou semânticos na literatura latina. E esses textos estão sendo atualmente publicados por Starobinski no *Mercure de France*, remeto vocês a eles.[53] Neles, temos o esboço de uma análise em que a literatura apareceria essencialmente como uma combinação de signos verbais. Há certo número de autores para os quais semelhantes análises são fáceis, penso em Charles Péguy, em Raymond Roussel, é claro, nos surrealistas também, e haveria aí, na análise do signo verbal enquanto tal, haveria aí, se quiserem, um segundo estrato de análise semiológica possível, estrato que seria aquele não mais da semiologia cultural, mas da semiologia linguística, definindo escolhas que podem ser feitas, as estruturas a que essas escolhas estão submetidas, por que elas foram feitas, o grau de latência que é dado em cada ponto do sistema e que significa a estrutura interna da obra. Há

[52] Ferdinand de Saussure (1857-1913), linguista suíço fundador da linguística moderna. Seu *Curso de linguística geral*, publicado depois de sua morte, inspirou o conjunto dos trabalhos de linguística posteriores, assim como numerosas ciências humanas (etnologia, filosofia, análise literária), e lançou as bases do estruturalismo.

[53] STAROBINSKI, Jean. Les anagrammes de Ferdinand de Saussure [Os anagramas de Ferdinand de Saussure]. *Mercure de France*, fev. de 1964.

ainda, provavelmente, um terceiro estrato de signos, uma terceira rede de signos que são utilizados pela literatura para significar a si mesma, que seriam, se quiserem, os signos que Barthes chama de signos da escrita. Vale dizer, os signos pelos quais o ato de escrever se ritualiza fora do domínio da comunicação imediata.

Escrever, sabe-se agora, não é simplesmente utilizar as fórmulas de uma época misturando a elas algumas fórmulas individuais, escrever não é misturar certa dose de talento, de mediocridade e de gênio; escrever implica, sobretudo, a utilização desses signos que nada mais são que signos de escrita. Esses signos de escrita são talvez certas palavras, certas palavras ditas nobres, mas são sobretudo certas estruturas linguísticas profundas, como, em francês, por exemplo, os tempos verbais. Vocês sabem que a escrita de Flaubert consiste essencialmente – e o mesmo se pode dizer, aliás, de todas as narrativas clássicas francesas desde Balzac até Proust – numa certa configuração, numa certa relação entre o imperfeito, o passado simples, o passado composto e o mais-que-perfeito, constelação que nunca se encontra com os mesmos valores na linguagem utilizada por vocês e por mim, ou nos jornais; essa configuração de quatro tempos é, na narrativa francesa, constitutiva do fato de que se trata precisamente de uma narrativa literária.

Finalmente, seria preciso dar lugar a um quarto estrato semiológico, muito mais restrito e discreto, que seria o estudo dos signos que poderíamos chamar de signos de implicação, ou de autoimplicação; são os signos através dos quais uma obra se designa no interior de si mesma, se re-presenta sob uma certa forma, com certo rosto, no interior de si mesma. Estava falando agora há pouco do canto VIII da *Odisseia*, em que Ulisses escuta o aedo cantar as aventuras de Ulisses. Ora, há ali algo de muito característico: no momento em que ouve o aedo cantar suas próprias aventuras, Ulisses, que ainda não foi reconhecido pelos feácios, baixa a cabeça, cobre o rosto e começa a chorar, diz o texto de Homero, num gesto que é o das mulheres quando recebem, depois da batalha, o cadáver de seus esposos.

O signo da autoimplicação da literatura por si mesma, vocês estão vendo, é aqui altamente significativo; é um ritual, é exatamente o ritual de luto. Vale dizer que a obra só se designa a si mesma na morte, e justo na morte do herói. Só há obra na medida em que o herói, que está vivo na obra, está contudo já morto em relação a essa narrativa que se fez.

Se comparamos esse signo de autoimplicação ao signo de autoimplicação que há na obra de Proust, vemos diferenças que são realmente interessantes e características. A autoimplicação da obra de Proust por si mesma é dada, ao contrário, sob a forma da iluminação intemporal, quando, bruscamente, a propósito de um guardanapo adamascado, ou de uma *madeleine*, a propósito da desigualdade dos pisos do pátio de Guermantes, que recorda a desigualdade dos pisos de Veneza, algo como a presença intemporal, iluminada, absolutamente feliz da obra se dá àquele que está, precisamente, escrevendo-a. Entre essa iluminação intemporal e o gesto de Ulisses que cobre o rosto e chora como uma esposa recebendo o cadáver de seu marido morto na guerra, vocês veem que há uma diferença absoluta, e que uma semiologia desses signos da autoimplicação das obras em si mesmas nos ensinaria certamente muitas coisas sobre o que é a literatura. Mas tudo isso são programas que praticamente ainda não foram executados. Se insisti sobre esses diferentes estratos semiológicos é porque, atualmente, reina certa confusão a propósito da utilização dos métodos linguísticos e semiológicos na literatura. Vocês sabem que certo número de pessoas, hoje em dia, utiliza indiscriminadamente os métodos da linguística e trata a literatura como um fato bruto de linguagem.

É verdade que a literatura é feita com linguagem. Assim como, afinal, a arquitetura é feita com pedra. Mas não se deve tirar daí a conclusão de que é possível aplicar indiferentemente a ela as estruturas, os conceitos e as leis que valem para a linguagem em geral. De fato, quando aplicamos, em estado bruto, os métodos semiológicos à literatura, somos vítimas de uma dupla confusão. Por um lado, faz-se um uso recorrente de uma estrutura significante particular nos domínios dos signos em geral; vale dizer que se esquece que a linguagem não é, no fundo, mais que um sistema de signos em meio a um sistema muito mais geral desses signos que são os signos religiosos, sociais, econômicos de que falei há pouco. E depois, por outro lado, aplicando em estado bruto as análises linguísticas à literatura, o que se esquece, justamente, é que a literatura faz uso de estruturas significantes muito particulares, muito mais finas que as estruturas próprias à linguagem, e, em particular, esses signos de autoimplicação, de que falei há pouco, eles só existem, na verdade, na literatura, e seria impossível encontrar exemplos deles na linguagem em geral.

Em outros termos, a análise da literatura, como significante e Palavra que significa a si mesma, não se desenvolve apenas na dimensão da linguagem. Ela mergulha num domínio de signos que não são ainda signos verbais, e, por outro lado, ela se estende, se eleva, se alonga em direção a outros signos, que são muito mais complexos que os signos verbais. O que faz com que a literatura só seja o que ela é na medida em que não se limita simplesmente ao uso de uma única superfície semântica, da mera superfície dos signos verbais. Em realidade, a literatura se mantém de pé através de várias espessuras de signos, ela é, se quiserem, profundamente polissemântica, mas de um modo singular, não como se diz que uma mensagem pode ter diversas significações e que ela é ambígua, mas, em realidade, a literatura é polissemântica porque, para dizer uma única coisa, ou talvez para não dizer absolutamente nada – pois nada prova que a literatura deva dizer alguma coisa –, de qualquer modo, para dizer alguma coisa ou para não dizer nada, a literatura é sempre obrigada a percorrer certo número de estratos semiológicos – no mínimo, acho, os quatro estratos de que falei –, e, desses quatro estratos, ela extrai aquilo com o que constitui uma figura, uma figura que tem por propriedade significar a si mesma. Vale dizer que a literatura não é outra coisa senão a reconfiguração, sob uma forma vertical, de signos que são dados na sociedade, na cultura, em estratos separados; vale dizer que a literatura não se constitui a partir do silêncio, a literatura não é o inefável de um silêncio, a literatura não é a efusão do que não pode se dizer e que não se dirá jamais.

A literatura, em realidade, só existe na medida em que não se parou de falar, na medida em que não se para de fazer circular signos. É porque há sempre signos ao redor dela, é porque isso fala, que algo como um literato pode falar. Eis aí, se quiserem, muito grosseiramente esquematizada, em que orientação poderíamos ver se desenvolver uma análise literária que seria, no sentido estrito do termo, semiológica. Parece-me que a outra via seria a via, talvez a um só tempo mais e menos conhecida, que concerniria não mais às estruturas significativas e significantes da obra, mas à sua espacialidade.

Vocês sabem que, por muito tempo, considerou-se que a linguagem tinha um profundo parentesco com o tempo. Acreditou-se nisso, decerto, por várias razões. Porque a linguagem é essencialmente aquilo que permite fazer uma narrativa, e ao mesmo tempo o que permite prometer [...[54]]. A linguagem é essencialmente aquilo que "liga" o tempo. Além disso, a linguagem deposita o tempo em si mesma, já que ela é escrita e que, como escrita, ela vai se manter no tempo, e manter aquilo que ela diz no tempo. A superfície coberta de signos não passa, no fundo, da astúcia espacial da duração. É, portanto, na linguagem que o tempo se manifesta a si mesmo, e é na linguagem, aliás, que ele vai se tornar consciente de si mesmo como história. E podemos dizer que de Herder[55] a Heidegger a linguagem como logos sempre teve por alta função guardar o tempo, velar sobre o tempo, manter-se no tempo e manter o tempo sob sua vigília imóvel.

E acho que ninguém tinha pensado que a linguagem, no fim das contas, não era tempo, e sim espaço. Ninguém tinha pensado nisso, salvo alguém de quem, no entanto, não gosto muito, mas sou obrigado a constatar isso, esse alguém é Bergson. Foi Bergson que teve a ideia de que, afinal, a linguagem não era tempo, mas espaço. Só teve um problema, ele tirou disso uma consequência negativa. E disse para si mesmo que, se a linguagem era espaço, e não tempo, pois bem, tanto pior

---

[54] Passagem ilegível tanto no datiloscrito da conferência quanto no manuscrito preparatório.

[55] Johann-Gottfried von Herder (1744-1803), poeta, teólogo e filósofo alemão. Marcou sua oposição teórica ao humanismo das Luzes, que julgava abstrato. Sua visão da história é continuísta, cada "época-nação" sendo por si só sua plenitude. Nesse sentido, ele desenvolve uma filosofia muito diferente da de Hegel, que postula o desenvolvimento da Razão na História.

para a linguagem. E como o essencial da filosofia, que, justamente, é linguagem, era pensar o tempo, ele tirou daí duas conclusões negativas: primeiro, que a filosofia devia se desviar do espaço e da linguagem para poder melhor pensar o tempo, e, em segundo lugar, que para poder pensar e exprimir o tempo, era preciso de algum modo curto-circuitar a linguagem; enfim, era preciso se livrar daquilo que podia haver de tão pesadamente espacial na linguagem. E, para neutralizar esses poderes ou essa natureza, ou esse destino espacial da linguagem, era preciso fazer a linguagem agir sobre si mesma, utilizar em face das palavras outras palavras, contrapalavras, por assim dizer; e, nessa dobra, nesse choque, nesse entrelaçamento das palavras umas com as outras, onde a espacialidade de cada uma das palavras teria sido morta, ou pelo menos apagada, aniquilada, limitada pela espacialidade das outras, nesse jogo que é, no sentido estrito do termo, a metáfora – daí a importância das metáforas para Bergson –, ele pensava que, graças a todo esse jogo da linguagem contra si mesma, graças a todo esse jogo da metáfora neutralizando a espacialidade, alguma coisa conseguiria nascer, ou ao menos passar, e que seria o próprio fluxo do tempo.

De fato, o que estamos descobrindo agora, e por mil caminhos que, aliás, são quase todos empíricos, é que a linguagem é espaço. A linguagem é espaço, e isso tinha sido esquecido simplesmente porque a linguagem funciona no tempo – é a cadeia falada –, e funciona para dizer o tempo. Mas a função da linguagem não é seu ser; e o ser da linguagem, justamente, se sua função é ser tempo, o ser da linguagem é ser espaço. Espaço, já que cada elemento da linguagem só tem sentido na rede de uma sincronia. Espaço, já que o valor semântico de cada palavra ou de cada expressão é definido pelo recorte de uma tabela, de um paradigma. Espaço, já que a própria sucessão dos elementos, a ordem das palavras, as flexões, as concordâncias entre as diferentes palavras ao longo da cadeia falada, obedece, com maior ou menor latitude, às exigências simultâneas, arquitetônicas, logo espaciais, da sintaxe. Espaço, enfim, já que, de uma maneira geral, só há signo significante com um significado por meio de leis de substituição, de combinação de elementos e, portanto, por meio de uma série de operações definidas sobre um conjunto – logo, num espaço.

E acredito que por muito tempo, até hoje praticamente, confundiram-se as funções anunciadoras e recapituladoras do signo, que são mesmo funções temporais, com aquilo que lhe permitia ser signo, e o que permite a um signo ser signo não é o tempo, é o espaço. A Palavra de Deus, que faz com que os signos do fim do mundo sejam mesmo os signos do fim do mundo, essa Palavra não tem lugar no tempo, ela bem pode se manifestar no tempo, mas ela é eterna, ela é sincrônica em relação a cada um dos signos que significam alguma coisa. A análise literária só terá, acredito, sentido próprio quando esquecer todos esses esquemas temporais nos quais esteve presa enquanto a linguagem foi confundida com o tempo. Entre esses esquemas, em particular, o mito da criação. Se a crítica, por tanto tempo, atribuiu-se por função e papel restituir esse momento da criação primeira, que seria o momento em que a obra está nascendo e germinando, é simplesmente porque obedecia à mitologia temporal da linguagem. Havia sempre essa necessidade, essa nostalgia da crítica: reencontrar os caminhos da criação, reconstituir em seu próprio discurso de crítica o tempo do nascimento e do acabamento que, pensava-se, devia deter os segredos da obra. A crítica foi criacionista, se quiserem, enquanto as concepções de linguagem estiveram ligadas ao tempo, na exata medida em que a linguagem foi recebida como tempo: ela acreditava na criação como acreditava no silêncio.

Me parece que essa análise da linguagem da obra como espaço merecia ser tentada. Para dizer a verdade, ela o foi, por certo número de pessoas, e em certo número de direções. Vou ainda ser um pouco dogmático, esquematizar coisas que ainda não são mais que programas ou esboços, mas me pergunto se não se poderia, muito grosseiramente, dizer algo como isto. Em primeiro lugar, é certo que há valores espaciais implicados em configurações culturais complexas e que espacializam toda linguagem e toda obra que aparecem nessa cultura. Penso, por exemplo, no espaço da esfera desde o fim do século XV até o início, mais ou menos, do século XVIII. Durante todo o período que cobre, digamos, o extremo fim da Idade Média, o Renascimento, até o início da idade clássica. A esfera, nessa época, não foi simplesmente uma figura privilegiada, na iconografia ou na literatura, entre outras figuras; ela foi, em realidade, essa esfera, a figura realmente espacializante, o lugar absoluto e originário onde se situavam todas as outras figuras da cultura renascentista, e da cultura, digamos, barroca. A curva fechada, o centro, a cúpula, o globo que irradia não são formas simplesmente escolhidas pelas pessoas dessa época, são os movimentos pelos quais são dados silenciosamente todos os espaços possíveis dessa cultura, e o espaço da linguagem. Empiricamente, é claro, houve a descoberta de que a Terra era redonda, o que privilegiou, de fato, a esfera; isso foi a descoberta de que a Terra era a imagem, portanto, sólida, escura, recolhida sobre si mesma, da esfera celeste, de sua abóbada, e, portanto, também a ideia de que o homem, por sua vez, não era mais que uma pequena esfera microcósmica, situada no cosmos da Terra, e no interior do macrocosmos do éter.

Será que foram essas descobertas, essas ideias, que conferiram à esfera sua importância? Talvez não faça muito sentido colocar esse problema. O que é certo, e que se deveria poder analisar, é que a representação e, num sentido mais geral, a imagem, a aparência, a verdade, a analogia, desde o fim do século XV até o início do século XVII, deram-se no espaço fundamental da esfera. O que é certo é que o cubo pictórico da pintura do *Quattrocento*, por exemplo, foi substituído pela semiesfera oca, onde foram locados e deslocados os personagens da pintura a partir do fim do século XV e, sobretudo, do início do século XVI. O que é certo é que a linguagem começou a se recurvar sobre si mesma, para inventar formas circulares, para voltar a seu ponto de partida. Peguem, por exemplo, a viagem fantástica de *Pantagruel*, tal como ela termina no ponto ambíguo da partida, com uma caminhada através de um país delicioso que evoca o Olimpo, a Tessália, o Egito, a Líbia e, acrescenta Rabelais, a ilha Hiperbórea sobre o mar judaico; mas eis que essa terra que se atravessa, ao final das ilhas, quando se chegou ao ponto extremo da viagem, quando se está absolutamente perdido, eis que essa região, diz ainda Rabelais, é tão graciosa quanto a região de Touraine, é precisamente essa região mesmo, sem dúvida alguma, onde os companheiros encontraram seu ponto de partida, de onde eles partiram para alcançar essas ilhas; de tal maneira que, para voltar à sua região, não era preciso fazer toda essa viagem, já que eles nunca deixaram de estar nela; ou talvez a fim de deixá-la de novo, porque, se agora, no momento em que vão reembarcar, estão já na região de Touraine, é talvez porque vão partir para uma nova viagem. Em todo caso, o círculo recomeça indefinidamente.

Foi provavelmente essa esfera da representação renascentista que, dissociando-se, literalmente explodindo, ou torcendo-se sobre si mesma, forneceu, no meio do século XVII, as grandes figuras barrocas do espelho, da bolha irisada, da esfera, da trança, dessas grandes vestes que se enrolam como hélices ao redor dos corpos e que sobem na direção vertical. Parece-me que se poderia fazer, da espacialidade das obras em geral, uma análise desse tipo; aliás, já temos bons esboços disso, mais que lineamentos, em análises como as que Poulet[56] fez, por exemplo.

É provável também que essa espacialidade cultural da linguagem em geral não possa, a rigor, apreender a obra senão do exterior. Na verdade, há também uma espacialidade interior à própria obra. Essa espacialidade interior não é sua composição, exatamente, não é aquilo que se chama tradicionalmente seu ritmo ou seu movimento. É, de algum modo, o espaço profundo de onde vêm e onde circulam as figuras da obra. E, para dizer a verdade, semelhantes análises foram feitas, foram feitas em grande parte por Starobinski em seu *Rousseau*, ou por Rousset,[57] em *Forme et signification* – e penso então muito precisamente, e não faço mais que citar o texto e remetê-los explicitamente a ele, penso na belíssima análise que Rous-

---

[56] Georges Poulet (1902-1991), crítico literário belga que pertenceu ao grupo de Genebra, junto com Jean-Pierre Richard, Jean Starobinski e Jean Rousset. Rejeitando a abordagem formalista da crítica de sua época, é autor notadamente de *Études sur le temps humain* [Estudos sobre o tempo humano] (1949) e das *Métamorphoses du cercle* [Metamorfoses do círculo] (1961), a que Foucault faz referência aqui.

[57] Jean Rousset (1910-2002), crítico literário suíço especialista em poesia e literatura barrocas. A referência exata da obra citada é: *Forme et signification: essai sur les structures littéraires, de Corneille à Claudel* [Forma e significação: ensaio sobre as estruturas literárias, de Corneille a Claudel]. Paris: José Corti, 1962.

set fez do círculo e da espiral[58] em Corneille. Ele mostrou como o teatro de Corneille, desde a *Galeria do palácio* até o *Cid*, obedece a uma espacialidade circular, vale dizer que dois personagens são dados, que estão reunidos antes do início da peça. A peça só começa na medida em que esses personagens são separados, e então, no meio da peça, eles se encontram; eles se encontram, mas de través, a reconciliação não é possível ou não é perfeita; é a história de Rodrigue e de Chimène, que não conseguem se unir absolutamente por causa do que aconteceu; que se veem então novamente separados e só se reúnem no fim da peça. Daí uma forma circular, uma forma de oito, se quiserem, do signo do infinito, que caracteriza as primeiras obras de Corneille. E, depois, *Polyeucte* representa de certa forma a irrupção de um movimento ascensional que não existia antes no teatro de Corneille: continuamos tendo essa figura, um oito, e dois personagens que estão reunidos antes do início da peça, Polyeucte e Pauline, que depois são separados, encontram-se, voltam a ser separados e finalmente voltam a se encontrar. Mas o jogo da separação não se deve a acontecimentos que estão no mesmo plano que os próprios personagens; deve-se essencialmente a esse movimento ascendente provocado pela conversão de Polyeucte. Se quiserem, o fator de separação e de reunião é uma estrutura vertical que culmina em Deus. A partir desse momento, Polyeucte se separa de Pauline para se

[58] Em francês, *boucle* e *vrille*. *Boucle*: anel, argola, fivela, bucle (caracol, madeixa), meandro, elo, ou ainda, o que parece central para a análise de Rousset, círculo, circuito que se fecha, como na expressão *boucler la boucle*, fechar o círculo, voltar ao ponto de partida; *vrille*: gavinha, órgão de fixação das trepadeiras e, por analogia de forma, hélice, espiral ou parafuso, como em *descendre en vrille*, cair em parafuso, ou, já que Rousset fala de uma ascensão, "subir em parafuso". (N.T.)

juntar a Deus, espira que vai dar à peça de *Polyeucte* e às obras de Corneille que se seguirão esse movimento de hélice, essa espécie de drapeado ascendente que é talvez o mesmo que encontramos, na mesma época, na escultura barroca.

Enfim, talvez se pudesse encontrar uma terceira possibilidade de analisar a espacialidade da obra estudando já não a espacialidade da obra em geral, mas a espacialidade da própria linguagem na obra. Vale dizer, trazer a lume um espaço que não seria o da cultura, que não seria o da obra, mas o da própria linguagem, colocada ali sobre a folha branca de papel; linguagem que, por sua própria natureza, constitui e abre certo espaço, um espaço frequentemente muito complicado, e que talvez, no fundo, tenha se tornado sensível na própria obra de Mallarmé – esse espaço da inocência, da virgindade, da brancura, esse espaço da vidraça também, que é o do frio, da neve, do gelo em que o pássaro fica preso, é um espaço ao mesmo tempo tensionado e liso, fechado e recurvado sobre si mesmo,[59] que se abre em todas as suas qualidades de lisura, que se abre à penetração absoluta do olhar que pode percorrê-lo; mas o olhar, no fundo, só pode deslizar sobre ele, esse espaço aberto é ao mesmo tempo um espaço completamente fechado, esse espaço que podemos percorrer é um espaço como que congelado e inteiramente fechado. Esse espaço dos objetos mallarmeanos, esse espaço do lago mallarmeano, é igualmente o espaço de suas palavras. Tomem, por exemplo, os valores muito bem analisados

[59] O manuscrito continua assim: "É o espaço desses objetos mallarmeanos por excelência que são a asa e o leque: abertos, esquivam à vista, escondem, colocam fora de alcance e a distância: mas em outro sentido fazem ver, mostram a riqueza desdobrada de seu tesouro".

por Jean-Pierre Richard,[60] os valores do leque e da asa em Mallarmé. O leque e a asa, quando estão abertos, têm essa propriedade de se furtarem à vista: a asa furta o pássaro à vista, de tão ampla que é, o leque esconde o rosto. A asa e o leque furtam à vista, escondem, colocam fora de alcance e à distância, mas só escondem na medida em que desdobram, vale dizer, na medida em que se encontra desdobrada a riqueza colorida da asa ou o próprio desenho do leque. E quando estão fechados, ao contrário, a asa deixa ver o pássaro, o leque deixa ver o rosto, deixam, portanto, aproximar-se, oferecem à apreensão do olhar ou da mão aquilo que escondiam antes, quando estavam abertos, mas, no exato momento em que voltam a se fechar, em que se escondem, encobrem precisamente tudo aquilo que estava exposto no momento em que se abriam. Portanto, a asa e o leque formam o momento ambíguo do desvelamento e, contudo, do enigma; formam o momento do véu estendido sobre o que há para ver, e igualmente o momento da exibição absoluta.

Esse espaço ambíguo dos objetos mallarmeanos, que a uma só vez desvelam e ocultam, é provavelmente o próprio espaço das palavras de Mallarmé, o espaço da própria palavra; a palavra, em Mallarmé, exibe seu ornamento ao encobrir, ao enterrar sob esse ornamento aquilo que está dizendo. Ela está, a um só tempo, fechada sobre a página branca, escondendo o que tem a dizer, e faz surgir, nesse

---

[60] Jean-Pierre Richard (nascido em 1922), escritor e crítico. Especialista nos séculos XIX e XX, aplica-se a demonstrar a ligação entre língua e relação íntima com o mundo sensível. Aqui, a referência é ao livro que Jean-Pierre Richard consagrou a Stéphane Mallarmé, *L'univers imaginaire de Mallarmé* [O universo imaginário de Mallarmé] (Paris: Seuil, 1961), e que Foucault resenhou (*Dits et écrits*, tomo 1, texto n. 28). [O Mallarmé de J.-P. Richard. In: *Ditos e escritos*, v. 3 (1964).]

mesmo movimento de fechamento sobre si, faz surgir, na distância, aquilo que permanece irredutivelmente ausente. É esse o movimento, provavelmente, de toda a linguagem de Mallarmé; é o movimento, pelo menos, do livro de Mallarmé, do livro que é preciso tomar a um só tempo no sentido mais simbólico, do lugar da linguagem, e no sentido mais preciso desse empreendimento de Mallarmé, em que ele literalmente se perdeu no fim de sua existência; é o movimento, portanto, desse livro que, aberto como um leque, deve esconder e mostrar ao mesmo tempo; e que, fechado, deve deixar ver o vazio que ele não cessou, em sua linguagem, de nomear. É por isso que o livro é a própria impossibilidade do livro, é sua brancura selante, quando ele se desdobra; é sua brancura desvelante quando se redobra. O livro de Mallarmé, em sua impossibilidade obstinada, torna quase visível o invisível espaço da linguagem, esse invisível espaço da linguagem cuja análise seria preciso fazer, não apenas em Mallarmé, mas para todo autor que se quisesse abordar.

Essas análises possíveis, já esboçadas em parte aqui e ali, vocês me dirão que elas parecem abordar a obra em ordem dispersa; há de um lado a decifração dos estratos semiológicos, e então, do outro, a análise das formas de espacialização. Será que esses dois movimentos, a análise dos estratos semiológicos e a análise das formas de espacialização, devem permanecer paralelos? Ou será que eles vão ser convergentes, ou será que só vão convergir no infinito, lá onde a obra mal chega a ser visível em sua distância? Pode-se esperar um dia uma linguagem única que faria aparecer simultaneamente os valores semiológicos novos e o espaço onde eles se espacializam?

Não há absolutamente dúvida alguma: ainda estamos longe de poder proferir semelhante discurso, e a dispersão dos enunciados que acabo de proferir diante de vocês atesta isso.

E, no entanto, e antes, é isso, sem dúvida, que é nossa tarefa. A tarefa da análise literária agora, a tarefa, talvez, da filosofia, a tarefa, talvez, de todo o pensamento e de toda a linguagem atualmente, seria a de deixar vir à linguagem o espaço de toda a linguagem, o espaço em que as palavras, os fonemas, os sons, as siglas escritas podem ser, em geral, signos; será preciso, de fato, que um dia apareça essa grade que libera o sentido retendo a linguagem. Mas que linguagem terá a força ou a reserva, que linguagem terá suficiente violência ou neutralidade para deixar aparecer e para nomear ela própria o espaço que a constitui como linguagem, isso não o sabemos. Será uma linguagem muito mais concentrada que a nossa, uma linguagem que não conhecerá mais a separação atual da literatura, da crítica, da filosofia – uma linguagem, de algum modo, absolutamente matinal, e que recordará, no sentido forte da palavra "recordação",[61] aquilo que pôde ser a primeira linguagem do pensamento grego? Ou será que não poderíamos dizer, talvez, ainda outra coisa: que, se a literatura tem atualmente um sentido, e se a análise literária no sentido em que acabo de falar dela tem atualmente um sentido, é porque ambas pressagiam o que será a linguagem, é talvez porque são ambas os signos de que essa linguagem está nascendo? O que é, afinal, a literatura, por que ela surgiu no século XIX, como dizíamos ontem, e ligada ao curioso espaço do livro? Talvez seja precisamente isso, a literatura, essa invenção recente, que data de menos de dois séculos, é, fundamentalmente,

---

[61] "*et qui rappellera, au sens fort du mot 'rappel'*": *rappeler*, chamar, chamar de volta, voltar a chamar, recordar, lembrar, evocar... *rappel*: ação de chamar de volta, toque de recolher, evocação, rapel... (N.T.)

a relação que está se constituindo, a relação que está se tornando obscuramente visível, mas ainda não pensável, entre a linguagem e o espaço.

No momento em que a linguagem renuncia ao que foi sua velha tarefa há milênios, e que era recolher o que não deve ser esquecido, quando a linguagem descobre que está ligada pela transgressão e pela morte a esse fragmento de espaço, tão fácil de manipular, mas tão árduo de pensar, que é o livro, então, alguma coisa como a literatura está nascendo. O nascimento da literatura está ainda bem próximo de nós, e, no entanto, já, no oco de si mesma, ela coloca a questão do que ela é. É que ela é extremamente jovem ainda numa linguagem que era muito velha. Ela surgiu numa linguagem que há milênios, pelo menos desde a aurora do pensamento grego, estava consagrada ao tempo. Ela surgiu, portanto, numa linguagem consagrada ao tempo, como o balbucio ou o primeiro balbucio de uma linguagem provavelmente ainda muito longa, e ao termo da qual – estamos longe de ter chegado – essa linguagem será consagrada ao espaço. O livro foi até o século XIX o suporte acessório, o livro, em sua materialidade espacial, foi o suporte acessório de uma Palavra que tinha por preocupação a memória e o retorno. E eis que o livro se tornou, e é isso a literatura, e eis que o livro se tornou mais ou menos na época de Sade o lugar essencial da linguagem, sua origem sempre repetível, mas definitivamente sem memória.

Quanto à crítica, o que ela foi desde Sainte-Beuve até pouco tempo atrás? O que ela foi senão precisamente o esforço para pensar, o esforço desesperado, o esforço fadado ao fracasso para pensar em termos de tempo, de sucessão, de criação, de filiação, de influência, aquilo que era inteiramente estranho ao tempo, aquilo que era consagrado ao espaço, vale dizer, a literatura? E essa análise literária, praticada por tanta gente hoje, ela não é a promoção da crítica a uma metalinguagem, ela não é a crítica tornada enfim positiva, com todos os seus gestos miúdos, pacientes, com todas as suas acumulações um pouco laboriosas; a análise literária, se ela tem um sentido, não faz outra coisa senão apagar a própria possibilidade da crítica, ela torna pouco a pouco visível, mas ainda num nevoeiro, que a linguagem se faz cada vez menos histórica e sucessiva, ela mostra, essa análise literária, que a linguagem está cada vez mais distante de si mesma, que ela se afasta de si como uma rede, que sua dispersão não se deve à sucessão do tempo nem à diversão da noite, mas ao rebentamento, ao fulgor, à tempestade imóvel do meio-dia. A literatura no sentido estrito e sério dessa palavra que tentei lhes explicar não seria outra coisa senão essa linguagem iluminada, imóvel e fraturada, vale dizer, aquilo mesmo que temos agora, hoje, de pensar.

Conferência sobre Sade

Buffalo, março de 1970

Nota dos editores

Michel Foucault é convidado, em março de 1970, pelo departamento de literatura francesa da Universidade do Estado de Nova Iorque, em Buffalo, para proferir duas conferências: a primeira sobre Bouvard e Pécuchet, *de Flaubert, a segunda sobre Sade, ou, antes, sobre* A nova Justine, *na medida em que esse livro é, para o filósofo, integralmente escrito sob o signo da verdade.*

O datiloscrito dessa segunda conferência e os diferentes manuscritos – existem, até onde sabemos, três dossiês consagrados à análise de Justine, *um primeiro, de 14 folhas, intitulado "Buffalo 1970", um segundo, de 47 folhas, intitulado "Montréal printemps 1971" e um terceiro, de 22 folhas, intitulado "oct. 72" – indicam que Foucault realizou sua intervenção sobre Sade em duas partes. A primeira sessão versa sobre o problema das relações entre verdade e desejo em Sade. A segunda sessão antecipa as problematizações que estarão, em novembro de 1970, na base de* A ordem do discurso*: em particular a ideia de que todo enunciado subentende uma lógica que obedece ou, ao contrário, denuncia os critérios de identificação e de aceitabilidade sobre os quais a categorização e a organização geral dos saberes repousam numa determinada época.*

Desde a História da loucura, *a figura de Sade – o transgressor que conheceu os julgamentos infamadores e a censura;*

o pensador do político e da verdade, denunciador da justiça do Antigo Regime – interessa Foucault. O divino marquês está, aliás, muito presente na reflexão de certa crítica literária dos anos 1960, e Foucault não é o único a ligar ao mesmo tempo Sade e Hölderlin, Mallarmé e Kafka, Lautréamont e Artaud. Sade é, nessa época, um tópos *ou objeto privilegiado para os defensores de uma espécie de contramodernidade.*

Nas 53 páginas do datiloscrito de Buffalo, de que fornecemos aqui a transcrição, é principalmente a ideia de uma economia complexa dos discursos que atravessa a análise de Foucault. Mas os "usos" de Sade não param por aí, já que Foucault fará dele um "sargento do sexo", promotor de um erotismo disciplinar que acompanha o desenvolvimento de uma racionalidade instrumental.[62]

Na transcrição datiloscrita da conferência, assim como nos três manuscritos, os termos "natureza", "escrita", "alma" ou "lei" aparecem às vezes com maiúscula, às vezes não. Resolvemos manter as minúsculas para o conjunto desses termos, reservando a inicial maiúscula apenas para o substantivo "Deus", em conformidade com o uso.

[62] FOUCAULT, Michel. "Sade, sergent du sexe". In: *Dits et écrits*, v. 2, texto nº 164, p. 818. [Sade, sargento do sexo. In: *Ditos e escritos*, v. 3 (1975).]

Primeira sessão

Eu me apoiarei, essencialmente, num dos últimos textos de Sade, aquele que se chama *A nova Justine, ou os infortúnios da virtude*, reedição muito ampliada, em 10 volumes, da *História de Justine*, e à qual Sade acrescentou *A história de Juliette, ou as prosperidades do vício*. É um texto que foi publicado em 1797 e que, acredito, constitui uma espécie de balanço, na formulação mais extrema e mais completa, do pensamento e da imaginação de Sade. É, portanto, sobre esse texto, mais que sobre *A filosofia na alcova*, mais também que sobre *Os cento e vinte dias de Sodoma, ou a escola da libertinagem*, que gostaria de me apoiar.

Algumas palavras de introdução, se quiserem, para apontar certo número de coisas absolutamente evidentes. Toda essa história da *Nova Justine*, seguida da história de sua irmã Juliette, todos esses 10 volumes estão situados inteiramente, integralmente, sob o signo da verdade.

Logo na primeira linha, Sade explica que, por maior que seja a aversão e o horror que sente em relação a tudo o que vai contar, o homem de letras deve ser filósofo o bastante para dizer a verdade. E mostrará, diz ele, o crime como ele é, como ele é realmente, vale dizer, triunfante e sublime.

E no fim do décimo volume (passo por cima de todas as outras alusões e referências que ele faz à verdade de seus enunciados), no décimo volume, nas últimas linhas, ele insiste ainda sobre o caráter absolutamente verdadeiro de seu romance. Um dos últimos episódios, que é um dos mais fantásticos, é assim comentado por um dos personagens, que diz: "Uma história tão inverossímil, não se acreditaria nela se fosse contada num romance. Mas isso não é um romance, é a verdade, por conseguinte, devem acreditar em mim". E bem no finzinho mesmo, na última frase, Sade explica que, dali em diante, todos os personagens desses romances, Justine e Juliette, estão mortos, que, por conseguinte, não deixaram nenhuma outra narrativa de suas aventuras além da própria narrativa que Sade acaba de nos fazer; se um novo autor tivesse a pretensão de contar a continuação das aventuras de Juliette e Justine, esse autor só poderia ser um falsário, só contaria mentiras, já que Juliette e Justine estão mortas e contaram tudo a Sade, que não fez mais que retranscrever com a maior exatidão essa narrativa, que é a narrativa da verdadeira vida delas.

Peço desculpas por insistir nessas banalidades. Era um efeito de tradição, em todos os romances do século XVIII, espetar, de algum modo, a própria narrativa sobre uma espécie de verdade, sobre um princípio de verossimilhança. E os autores do século XVIII adoravam utilizar certo número de procedimentos para autenticar essa espécie de verdade-verossimilhança. Sade retoma alguns procedimentos retóricos que eram utilizados, como, por exemplo, o fato de dizer: o que vou lhes contar, ou o que acabo de lhes contar, não o tirei de minha cabeça;

não fiz mais que retranscrever o que já estava escrito, ou o que já estava dito num manuscrito que encontrei, em cartas que me foram confiadas ou em confidências que surpreendi ou ouvi. Não sou eu que falo, é um outro, e é esse outro que coloco em cena. E, por conseguinte, o que digo é tão verdadeiro quanto a própria existência dessa pessoa. O outro procedimento consiste ainda em fazer intervir o próprio autor, o autor que, em determinado momento, fala em seu próprio nome e diz, por exemplo: isso pode lhes parecer inverossímil, mas o que vocês querem?... Isso bem pode ser inverossímil num romance, mas não é aqui, já que estou lhes dizendo a verdade.

Esse tipo de procedimento, de artifício, que é muito conhecido no século XVIII, que Diderot e Sterne utilizaram, vocês sabem com que gênio, Sade o utiliza com uma desenvoltura e uma falta de jeito que são absolutamente desconcertantes. Quando, em *Aline et Valcour*,[63] ele diz estar apenas recopiando cartas, há uma carta que ocupa sozinha todo um volume: ela preenche cerca de 350 páginas e conta acontecimentos de que, com toda evidência, o autor da carta não poderia ter conhecimento – mas passo por cima dos detalhes. É de uma inverossimilhança total! Da mesma forma, quando o próprio Sade intervém, em nota, no interior de *Justine*, para dizer: "Isso é verdade", é preciso ver aquilo a propósito de quê ele o afirma. Em geral, é quando um personagem está se extasiando com o alto grau de excitação sexual que um massacre pode provocar. Então, aí, Sade não se aguenta mais e coloca uma notinha de rodapé: "Isso garanto-lhes que é verdade;

[63] *Aline et Valcour, ou le roman philosophique* é um romance epistolar de Sade publicado em 1793 [edição brasileira: *Aline e Valcour*. Tradução de Rubem Rocha Filho. Rio de Janeiro: José Álvaro Editor, 1969].

acreditem em mim, é da maior exatidão!". E todos esses meios que os autores do século XVIII utilizavam como procedimentos de autenticação não passam, em realidade, nos textos de Sade, de espécies de sobrecargas, redobramentos, pontos de exasperação da escrita e não têm, para dizer a verdade, de modo algum, a função real de inscrever o romance no interior de uma verossimilhança. Ora, volto a isso, Sade não para de dizer, ao longo de todos os seus romances, que aquilo que quer contar é a verdade. Mas o que é essa verdade? Porque, se seguimos o fio dos acontecimentos, é evidente que sequer a mais ínfima verossimilhança toca, ainda que de leve, por um instante, o texto de Sade: milhares de mortos, massacres, pessoas, homens e mulheres, que providenciam o dia inteiro moças ou rapazes que não param de massacrar, depois de terem obtido com eles gozos sexuais indefinidamente renovados; alguém que destrói de uma vez só, em Roma, 24 hospitais e as 15 mil pessoas que estão neles; alguém que provoca uma erupção vulcânica. Tudo isso é moeda corrente no texto de Sade, e Sade, ainda uma vez, não para de dizer: "O que estou contando para vocês é a verdade".

Então, o que é essa verdade? Essa verdade, portanto, que não é de modo algum assimilável à verdade-verossimilhança dos romancistas do século XVIII, essa verdade que não pode absolutamente ser tomada ao pé da letra, quando se considera o conteúdo mesmo da narrativa. O que é essa verdade? Pois bem! A verdade de que fala Sade, acredito que aí também as coisas são simples, não é a verdade do que ele conta, é a verdade de seus raciocínios. O problema do romancista do século XVIII era estabelecer, na forma da verossimilhança, uma ficção que fosse capaz de comover, o problema de Sade é demonstrar uma verdade – demonstrar uma verdade absolutamente ligada à realização do desejo.

Trata-se, no romance de *Justine*, de fazer aparecer no exercício da dominação, da selvageria e do assassinato alguma coisa que seja uma verdade, e o que os personagens dizem no próprio momento em que estão realizando esses gestos, ou depois, ou antes, para explicá-los ou para justificá-los, é isso que deve ser verdade. Em outras palavras, o que deve ser verdadeiro é o raciocínio, é essa forma de racionalidade que é promovida pelo exercício do desejo ou que sustenta o exercício do desejo. É a respeito disso que Sade não para de dizer ao longo desse texto que se trata da própria verdade. Eis aí, acredito, de onde é preciso partir para chegar a colocar corretamente o problema das relações entre verdade e desejo em Sade.

Agora, essas relações verdade-desejo, como é que elas aparecem, sob que forma e em que nível? Acredito que se pode analisá-las de duas maneiras, em dois níveis: primeiramente, na própria existência do livro; em segundo lugar, no conteúdo dos raciocínios formulados pelos personagens.

É dessa primeira questão que tentarei tratar esta noite: a existência do livro. O problema é simples. Por que Sade escreveu? O que pode significar, para Sade, o exercício da escrita? Sabemos, pelos elementos biográficos de que dispomos sobre ele, que escreveu milhares de páginas, bem mais que os textos que foram conservados e que já são, contudo, inumeráveis; ele perdeu uma quantidade considerável deles durante seus diversos encarceramentos, já que à medida que os escrevia sobre pedaços de papel estes iam sendo confiscados. Assim, quando escreveu *Os cento e vinte dias* na Bastilha (ele os terminou, acredito, em 1788-1789), os papéis foram confiscados no momento da tomada da Bastilha. O lado ruim da tomada da Bastilha foi o desaparecimento dos *Cento e vinte dias*. Felizmente, eles foram reencontrados, mas depois da morte de Sade; isso levou Sade a derramar "lágrimas de sangue". Ele derramou lágrimas de sangue por ter perdido esse texto. Tudo isso, a obstinação de Sade em escrever, o fato de ele derramar lágrimas de sangue quando perde um texto, somado ao fato de que cada vez que publicava alguma coisa (enfim, cada vez não, mas várias vezes, quando publicou textos) era posto na prisão, isso prova que Sade atribuía à escrita uma importância considerável. E por escrita não se deve entender simplesmente o ato de escrever, mas o de publicar, já que ele publicava seus textos e, se por acaso estava naquele momento fora da prisão, era imediatamente posto de volta nela por causa de suas publicações.

Seriedade da escrita em Sade. Por quê? Acredito que, à primeira vista, a importância da escrita para ele se deve a isto: para começar, e ele o repete diversas vezes em *Justine* e *Juliette*, ele se endereça a seus leitores não por causa do prazer que suas narrativas podem provocar neles, mas a despeito do que pode haver para seus leitores de desagradável em seus romances. É mais ou menos o que ele diz: "Não vos agradará ouvir histórias tão pavorosas sendo contadas. A virtude sempre punida, o vício sempre recompensado, as crianças massacradas, os rapazes e as moças feitos em pedaços, mulheres grávidas enforcadas, hospitais inteiros queimados, isso realmente não é agradável de ouvir. Vossa sensibilidade se revoltará, vosso coração não aguentará mais, mas o que quereis, não é à vossa sensibilidade nem a vosso coração que me dirijo, é à vossa razão, à vossa razão e somente a ela. Quero demonstrar-vos uma verdade fundamental, a de que o vício é sempre recompensado, e a virtude sempre punida".

Ora, o problema se coloca: quando seguimos o romance de Sade, percebemos que não há absolutamente nenhuma lógica na recompensa do vício e na punição da virtude. De fato, cada vez que Justine, que é virtuosa, é punida, a punição nunca se deve ao fato de que Justine cometeu um erro de raciocínio, não previu tal coisa, cegou-se para tal realidade. Em realidade, Justine calculou perfeitamente, mas sempre acontece um infortúnio pavoroso, da ordem do arbitrário e do acaso, que vem puni-la. Justine salva alguém, e no momento em que o salva passa outro alguém que massacra aquele que ela acaba de salvar e leva Justine para um covil de bandidos ou de moedeiros falsos, etc. É sempre o acaso que intervém, nunca é a consequência lógica dos atos que determina a punição.

Por outro lado, em *Juliette, ou as prosperidades do vício*, é a mesma coisa: a boa Juliette comete os crimes mais pavorosos. Eis que finalmente ela própria cai nas mãos de alguém que parece ainda mais criminoso que ela, um medonho bandido italiano que se chama Bras-de-Fer. Se ao menos os italianos pudessem se chamar Bras-de-Fer![64] Ela vai ser condenada à morte, mas o que vai lhe permitir escapar da morte? O acerto de seu cálculo? Seu espírito? Sua lucidez? Nada disso: simplesmente o fato de que Bras-de-Fer é a um só tempo o irmão e o marido de sua boa amiga Clairvil, que Juliette conheceu outrora; por conseguinte, tudo se arranja, e Juliette não é condenada. O fato de o vício ter prosperado nessa ocasião não está absolutamente ligado a uma consequência lógica de sua conduta, mas simplesmente ao acaso. Foi, portanto, o próprio Sade que elaborou um sistema de entrecruzamentos, de acontecimentos arbitrários. Ele os arranjou de tal maneira que em sua história é o vício

---

[64] Bras-de-Fer, braço de ferro, é, evidentemente, uma alcunha francesa. (N.T.)

que é sempre recompensado, e é a virtude que é sempre punida. Mas, se redistribuíssemos os acontecimentos de outra maneira, teríamos os mesmos resultados. Não é, portanto, absolutamente, a racionalidade mesma do vício ou da virtude que está em questão, de modo que, quando nos diz: "Dirijo-me não a vosso coração, mas à vossa razão", Sade evidentemente nos tapeia e não toma a si mesmo a sério.

Por conseguinte, o que Sade quer fazer quando afirma fazer essa demonstração, quando afirma dirigir-se à nossa razão, ao passo que, na verdade, toda a armadura da narrativa se dirige a uma coisa totalmente diferente? Acredito que para compreender toda a função da escrita em Sade, é preciso se remeter ao texto a seguir. É o único texto, acredito, em *Justine* e *Juliette*, que se refere à atividade de escrever. É a própria Juliette que se dirige a um personagem, uma de suas amigas, que já é muito perversa, mas ainda não o bastante. Trata-se de fazer o último aprendizado, de transpor o último patamar da perversão. Pois bem, eis como Juliette dá seus conselhos[65]:

> Fique 15 dias inteiros sem se entregar à luxúria. Distraia-se, divirta-se com outras coisas, mas até o décimo quinto dia, não permita que se forme nem mesmo a menor ideia libertina. Aí então, chegado o dia, deite-se sozinha, na calma, no silêncio, e na escuridão mais profunda. E lembre-se de tudo o que baniu durante esse intervalo. A seguir, dê à sua imaginação a liberdade de lhe apresentar, por gradações, diferentes tipos de extravio. Percorra-os todos detalhadamente. Passe-os sucessivamente em revista. Persuada-se de que toda a Terra é sua,

[65] SADE, Marquis de. *Œuvres complètes*. Paris: Jean-Jacques Pauvert, 1947-1972. v. 4, p. 56-57.

> de que tem o direito de mudar, mutilar, destruir, transtornar todos os seres que bem entender. Não tem nada a temer aí. Escolha o que lhe der prazer. Nenhuma exceção, não suprima nada. Nenhuma consideração por quem quer que seja. Que nenhum laço a cative, que nenhum freio a retenha. Deixe tudo por conta de sua imaginação e, sobretudo, não precipite seus movimentos. Que sua mão esteja às ordens de sua cabeça, e não de seu temperamento. Sem se dar conta disso, dos quadros variados que terá feito passar diante de si, um deles virá se fixar mais energicamente que os outros, e com tal força, que não poderá mais afastá-lo nem substituí-lo. A ideia obtida pelo meio que lhe indico a dominará, a cativará. O delírio se apoderará de seus sentidos e, acreditando já estar em ação, você esporrará como uma Messalina. Assim que isso acontecer, reacenda as velas e transcreva em seu caderno de notas a espécie de extravio que acaba de inflamá-la, sem esquecer nenhuma das circunstâncias que podem ter agravado seus detalhes. Durma sobre isso. Releia suas notas no dia seguinte e, recomeçando sua operação, acrescente tudo o que sua imaginação, um pouco *blasée* sobre uma ideia que já a fez derramar porra, poderá lhe sugerir que seja capaz de aumentar seu poder de excitação. Forme agora um corpo dessa ideia passando-a a limpo, acrescente de novo todos os episódios que sua cabeça aconselhar. Cometa a seguir, e sentirá que tal é o desvio que melhor lhe convém.

Eis portanto esse texto que nos mostra claramente uma utilização da escrita. Vocês veem que é uma utilização perfeitamente clara da escrita. Trata-se de um procedimento, tipicamente, de masturbação. Parte-se da liberdade total dada à imaginação; chega-se a um primeiro gozo, escreve-se, dorme-se e se relê, novo trabalho da imaginação, nova elaboração pela escrita, e depois, como diz Sade, à maneira de uma receita de cozinha: "Cometa a seguir...". A propósito desse texto, é preciso observar, acredito, três coisas. Primeiramente, vocês veem aí que a escrita, longe de ser esse instrumento de comunicação racional de que Sade nos fala em outros lugares (quando nos diz: "Eu vos escrevo não, de modo algum, para falar a vossos sentidos, a vossa imaginação ou a vosso coração, mas simplesmente à vossa cabeça e para vos convencer"), vejam que a escrita, longe de ser o instrumento da racionalidade universal, aparece como o puro e simples instrumento, o coadjuvante, o auxiliar de uma fantasmagoria individual. É uma maneira específica de aliar um devaneio erótico a uma prática sexual. E o texto deixa bem claro que isso é uma receita puramente individual, já que aquele que a segue deve chegar ao desvio que melhor lhe convier. A escrita é, portanto, na constituição de uma fantasmagoria, na constituição de uma prática sexual, uma pura e simples etapa, indo do devaneio à realização.

A segunda coisa que se pode observar é que, com toda probabilidade, essa receita da escrita fantasmagórica, da escrita puramente erótica, é muito verossímil que o próprio Sade a tenha experimentado e, segundo essa verossimilhança, foi assim que ele efetivamente escreveu seus romances. Aquilo que Juliette explica aí é provavelmente aquilo que Sade fez ao longo de seus 40 anos de reclusão, o que ele fez todas as manhãs e todas as noites, salvo, evidentemente, no que tange à realização: essa escrita que ele descreve aqui é a escrita de seus próprios livros, é a escrita de seus frenesis solitários.

A terceira coisa que se deve notar é que essa descrição do papel da escrita, nós a encontramos, transferida, mas recopiada com bastante fidelidade, num texto que era absolutamente público, não interdito, e que se chama *Ideia sobre os romances.*[66] Nesse texto, ele diz (e autentica assim, a um só tempo, esse texto e sua própria prática da escrita), ele diz que o romancista deve exercer sua prática da maneira seguinte: primeiro, o bom romancista deve mergulhar na natureza como alguém que fosse o amante de sua mãe e mergulhasse no corpo de sua mãe. O romancista é, portanto, o filho incestuoso da natureza, entrega-se a sua mãe-natureza como vemos aqui o personagem se entregar a sua imaginação. A seguir, o romancista, uma vez mergulhado no seio da natureza, escreverá e escreverá entreabrindo, diz ele, o seio que lhe foi oferecido. Vejam que, também aí, a imagem sexual é evidente. Nesse momento, diz ele, tendo penetrado, entreaberto esse seio, o romancista não deverá mais ser contido, limitado por nenhum dique dirigido a ele. Sade diz: "Usa à vontade de teu direito de atentar contra todas as anedotas da história quando a ruptura desse freio se tornar necessária ao prazer que nos preparas". Por conseguinte, a natureza oferece verdades, uma história; ela oferece elementos, como uma mãe que dá prazer a seu filho, mas esses elementos, o romancista deve variá-los sistematicamente, deve deformá-los, deve se sentir senhor absoluto deles, exatamente como na descrição que acabo de ler para vocês, a partir dessa imaginação geral, materna e incestuosa que lhe é dada de início; o libertino exerce sua imaginação em variar as imagens e multiplicá-las. A seguir, diz aproximadamente o texto de *Ideia sobre os romances*, chegarás a um esboço, e esse esboço, uma vez lançado sobre o papel, trabalha ardentemente para estendê-lo, mas sem te espremer nos limites que ele parece te prescrever, ultrapassa teus planos, varia-os, aumenta-os.

[66] *Les crimes de l'amour, nouvelles heroïques et tragiques; précédées d'une Idée sur les romans.* Paris, 1799 [edição portuguesa: *Ideia sobre os romances.* Farândola, 2001]. (N.T.)

Estão vendo, nessa passagem de *Ideia sobre os romances*, o equivalente daquilo que se passa na fantasmagoria sexual, já que se trata aí, uma vez lançado o esboço, de retomá-lo, trabalhá-lo, fazer trabalhar a imaginação sobre essa escrita, como na manhã seguinte à fantasmagoria se retoma o texto que se escreveu, se o relê e se o retranscreve, acrescentando--lhe todos os detalhes que se oferecem à imaginação. E o texto de *Ideia sobre os romances* termina assim: "Só exijo uma coisa de ti, que sustentes o interesse até a última página".

A última página desempenha aqui, como veem, o papel que a realidade desempenhava no texto de que falei para vocês. Em outras palavras, as duas descrições da escrita, a descrição da escrita fantasmagórica que vemos aqui e os conselhos de escrita que Sade dá em *Ideia sobre os romances*, são absolutamente simétricos. Os procedimentos são os mesmos, os dois únicos elementos que variam são os seguintes: no início, na fantasmagoria de Juliette, o que está dado é a liberdade da imaginação; no caso de *Ideia sobre os romances*, é a natureza. E o segundo elemento que varia: no final, no caso das fantasmagorias de Juliette, trata-se da realidade ("cometa a seguir", diz Sade); no caso de *Ideia sobre os romances*, ele diz que é assim que se chega à última página. Mas afora essas duas variantes, sobre as quais teremos de voltar, os dois processos são o mesmo, e a maneira como Sade diz que se deve escrever romances, a maneira como, ao que tudo indica, ele escreveu romances, coincide com a maneira como ele recomenda aqui usar da escrita para os fins da fantasmagoria sexual. Por conseguinte, acredito que não devemos nos iludir; está muito claro que a escrita em Sade não é nada do que ele afirma ser em seu romance, não tem nada a ver com alguma coisa de razoável que se endereça a partir da razão à razão dos auditores: trata-se de algo muito diferente. A escrita em Sade é uma fantasmagoria sexual, e, nessa medida, encontramos novamente a questão: mas que relação isso pode ter com a verdade? Como se pode pretender dizer a verdade se não se faz outra coisa além de transcrever sobre o papel puras e simples fantasmagorias sexuais? Será que Sade não está nos enganando, será que Sade não está pura e simplesmente abusando de nossa credulidade quando, jogando com sua escrita como joga com sua imaginação, ou, antes, usando de sua escrita para melhor fazer jogar sua imaginação, tem a audácia ou a inconsciência de afirmar que está nos dizendo a verdade?

Acredito que é preciso estudar de uma maneira um pouco mais precisa esse texto que acabo de ler. De fato, nesse texto, como funciona exatamente a escrita?

Primeiramente, a escrita atua nele como elemento intermediário entre o imaginário e o real. Sade, ou, pelo menos, o personagem de que se trata aqui, oferece a si mesmo, desde o início, a totalidade do mundo imaginário possível: ele faz variar esse mundo imaginário, ultrapassa seus limites, derruba suas fronteiras, vai mesmo além quando acreditava já ter imaginado tudo, e é isso que ele vai transcrever várias vezes; e é somente uma vez que já tiver transcrito que chegará à realidade e que chegaremos a esse famoso "cometa a seguir", como se fosse fácil cometer quando se sonhou ter massacrado 10 mil crianças, queimado centenas de hospitais, feito explodir um vulcão, etc. A escrita é, portanto, esse procedimento, esse momento que vai conduzir até o real, mas que, para dizer a verdade, empurra o real para os limites da inexistência. A escrita é aquilo que estende a imaginação, o que permite multiplicá-la, o que permite transpor suas fronteiras e que vai reduzir o real a esse quase nada que é indicado aqui no texto sob a forma do "cometa a seguir". A escrita é o que vai permitir de certa forma repelir o princípio de realidade para o mais longe possível das fronteiras da imaginação; ou, antes, a escrita é aquilo que, à força de repelir, de postergar sempre para além da imaginação o momento de conhecer, a escrita é aquilo que, à força de fazer trabalhar a imaginação e de adiar o momento do real, vai finalmente substituir o princípio de realidade. Graças à escrita, o imaginário não precisará mais dar esse passo que era até então absolutamente indispensável para ele, o passo da realidade. A escrita vai repelir a realidade até torná-la tão irreal quanto a própria imaginação; a escrita é o que faz as vezes de princípio de realidade e o que absolve a imaginação por nunca atingir a realidade.

A primeira função da escrita é, portanto, abolir a fronteira entre realidade e imaginação. A escrita é o que exclui a realidade; é, por conseguinte, o que vai ilimitar, apagar todos os limites do próprio imaginário. Daí em diante, graças à escrita, teremos, para empregar o vocabulário freudiano, um mundo que será inteiramente regido pelo princípio de prazer e que nunca mais terá de se deparar com o princípio de realidade.

Em segundo lugar, sempre nos referindo a esse texto, notamos que essa escrita se situa muito precisamente entre dois momentos do gozo sexual. Está dito muito claramente que o movimento da imaginação deve ser sabiamente conduzido e graduado até um primeiro gozo sexual e que é somente depois desse gozo que se vai escrever; então se deve dormir comportadamente e, na manhã seguinte, retomar a leitura; assim, nos diz Sade, tudo vai poder recomeçar, a escrita desempenhando no interior da fantasmagoria sexual o papel de um princípio de repetição. Vale dizer que é graças à escrita, graças a essa coisa escrita, que se poderá primeiro voltar àquilo que se sonhou, que se poderá repeti-lo na imaginação e que, repetindo-o na imaginação, se poderá obter dessa imaginação reiterada a repetição do que já tinha se dado, vale dizer, o gozo.

A escrita é o princípio do gozo repetido; a escrita é aquilo que re-goza ou permite refazer. O hedonismo da escrita, a escrita como re-gozo, encontra-se assim marcado, e tudo aquilo que, tradicionalmente, na teoria literária clássica do século XVIII, caracterizava o princípio do interesse crescente da escrita, o fato de que se queria sempre contar as coisas de maneira que o interesse fosse sempre sustentado, em realidade, Sade fornece disso o princípio e a raiz sexual mais radical e mais desavergonhada, vale dizer, a escrita como princípio de recomeço perpétuo do gozo sexual. A escrita vai portanto servir para apagar o limite do tempo, vai permitir apagar o limite do esgotamento, do cansaço, da velhice, da morte. A partir da escrita, tudo vai poder perpétua, indefinidamente recomeçar; o cansaço, o esgotamento, a morte nunca irromperão nesse mundo da escrita. Como vimos agora há pouco, a escrita é o que apaga a diferença entre princípio de prazer e princípio de realidade. A segunda função da escrita é, portanto, apagar os limites do tempo e liberar a repetição por si mesma. Estaremos no próprio mundo da repetição, e é por isso que ao longo de todos os romances de Sade veremos indefinidamente as mesmas histórias se repetirem, as mesmas figuras, os mesmos gestos, os mesmos atos, as mesmas violências, os mesmos discursos também, e os mesmos raciocínios, já que, precisamente, nesse mundo da escrita, não há mais limites temporais, e, no fim da história de Juliette, o último volume termina com essas palavras: "Por 10 anos ainda, nossos personagens viveram aventuras semelhantes a essas que acabais de ler", e depois Juliette desapareceu do mundo, aliás, não se sabe como, e ela não tem razão para desaparecer, já que, afinal, estamos no mundo da repetição; tudo deve se repetir indefinidamente, e, no fundo, não é possível que Juliette realmente morra.

Em terceiro lugar, o papel da escrita, se continuamos a seguir esse texto, não é simplesmente o de introduzir à repetição indefinida do gozo, é também o de superar, permitir à imaginação superar seus próprios limites:

> Reacenda suas velas e transcreva em seu caderno de notas a espécie de extravio que acaba de inflamá-la, sem esquecer nenhuma das circunstâncias que podem ter agravado seus detalhes. Durma sobre isso. Releia suas notas lentamente no dia seguinte e, recomeçando sua operação, acrescente tudo o que sua imaginação, um pouco *blasée* sobre uma ideia que já a fez derramar porra, poderá lhe sugerir que seja capaz de aumentar sua excitação.

E, por conseguinte, a escrita que repete é também a escrita que multiplica, a escrita que agrava, a escrita que aumenta e que multiplica indefinidamente. Essa reescrita, essa escrita-leitura-reescrita-releitura, etc., permite relançar a imaginação indefinidamente sempre mais longe; cada vez que se escreve, começa-se a transpor novos limites. A escrita faz se abrir e vê se abrir diante dela um espaço infinito onde as imagens, os prazeres, os excessos podem se multiplicar sem que jamais nenhum limite seja encontrado. Por conseguinte, a escrita, que é ilimitação do prazer em relação à realidade, que é ilimitação da repetição em relação ao tempo, é ao mesmo tempo ilimitação da própria imagem, ela é ilimitação do próprio limite, já que todos os limites uns após os outros são transpostos. Nenhuma imagem jamais se estabiliza definitivamente, jamais o desejo é capturado numa fantasia, atrás de cada fantasia sempre haverá outra, e é, portanto, o apagamento dos próprios limites da fantasia que a escrita nos assegura.

Quarta função da escrita, isto é dito no próprio texto: "Cometa e sentirá que aquele é o desvio que melhor lhe convém". Vale dizer que, graças ao procedimento pelo qual a escrita conduz a ilimitar as fantasias, ilimitar a repetição no tempo, essa escrita permite ao indivíduo obter em relação a todos os outros indivíduos, em relação a todas as normas e costumes do comportamento, em relação a todas as leis, a tudo o que é permitido e interdito, obter o máximo de desvio possível, de distância possível, vale dizer que o ato que será assim imaginado, trabalhado pela escrita, levado a termo, levado além dos próprios limites desse termo, esse ato, seja cometido ou não, pouco importa, já que a escrita torna a diferença não mais pertinente, esse ato vai situar o indivíduo num ponto do impossível que é tal que, dali em diante, ele será o ponto mais desviante de toda singularidade, ele estará no máximo do afastamento possível, não terá mais nada em comum com quem quer que seja. A escrita é, portanto, como motor desse movimento, o princípio do excesso e do extremo: ela coloca o indivíduo não apenas numa singularidade, mas também numa solidão que é irremediável. A partir desse momento, e Sade o dirá a seguir em vários outros textos, quando o sujeito, o indivíduo concebeu esse ato absolutamente abominável, ou absolutamente impossível, quando ele efetivamente realizou, ele não pode mais voltar atrás: nenhum remorso, nenhum arrependimento, nenhuma recuperação são possíveis daí em diante. A partir desse ato, o indivíduo é absoluta e totalmente criminoso; nada apagará a existência desse crime, nada apagará o indivíduo como crime. A escrita é, portanto, o princípio que instaura e a partir do qual, em todo caso, vai se instaurar o criminoso como criminoso. A escrita funda o excesso último, e, a partir desse momento, a partir do momento em que situa o indivíduo nesse ponto extremo, será que ainda se pode efetivamente falar de crime? Se não há remorso, se o indivíduo não pode em nenhum caso compensar o crime que cometeu, se nenhuma punição pode realmente atingi-lo, se sua consciência não o reconhece como criminoso, sendo assim, o próprio crime se apaga e o indivíduo aparece, surge, a seus próprios olhos e aos olhos dos outros, não, de modo algum, como o criminoso que transpôs as leis, mas simplesmente como o absolutamente singular, aquele que é singular sem relação com os outros, e o crime se apaga em proveito dessa noção que é central em Sade: a noção de irregularidade.

É assim que a escrita, que, portanto, já apagou certo número de limites, apaga agora esse último limite que é o limite entre o criminoso e o não criminoso, entre o que é permitido e o que não é, e introduz ao mundo indefinido da irregularidade. Pode-se então, nesse momento, compreender melhor o que Sade quer dizer quando afirma: "Escrevo para dizer a verdade". De fato, dizer a verdade para Sade não é, evidentemente, dizer algo de verossímil à maneira dos romancistas do século XVIII, como já vimos. Dizer a verdade, isso quer dizer para Sade estabelecer o desejo, a fantasia, a imaginação erótica, numa relação com a verdade que seja tal que não haverá mais para o desejo nenhum princípio de realidade capaz de se opor a ele, capaz de lhe dizer não, capaz de lhe dizer: "Há coisas que não alcançarás", capaz de lhe dizer: "Estás enganado; não és mais que fantasia e imaginação". De fato, a partir do momento em que a escrita, obedecendo inteiramente ao desejo, trabalhando o desejo, multiplicando-o, repele o princípio de realidade, a partir daí, a verificação da fantasia não é mais possível; vale dizer que toda fantasia se torna verdadeira, e a própria imaginação se torna sua própria verificação; ou, antes, a única verificação possível é o fato de passar além de uma fantasia e encontrar outra.

Em segundo lugar, a escrita fará entrar o desejo na ordem da verdade, pois na medida em que a escrita permite apagar todos os limites do tempo e permite, por conseguinte, introduzir o desejo no mundo eterno da repetição, o desejo não é aquilo que existe num dado momento e vai desaparecer. O desejo não é mais, graças à escrita, aquilo que, existindo num dado momento e sendo verdadeiro nesse momento, vai ser falso em seguida, não é aquilo que se revela quimérico no termo da vida e no instante da morte, já que não há mais morte, já que não há mais termo da vida, já que estamos perpetuamente na repetição; e sendo assim, a supressão dessa barreira do tempo, a instauração de um mundo repetitivo asseguram ao desejo que ele vai sempre ser verdadeiro e que nada poderá jamais invalidá-lo.

Em terceiro lugar, a escrita introduz o desejo no mundo da verdade, já que apaga para o desejo todas as fronteiras e todos os limites do lícito e do ilícito, do permitido e do não permitido, do moral e do imoral, vale dizer que a escrita introduz o desejo no espaço que é aquele do possível indefinidamente possível e sempre ilimitado. A escrita permite à imaginação e ao desejo nunca mais encontrar outra coisa além de sua própria individualidade singular. Permite ao desejo estar sempre, de algum modo, à altura de sua própria irregularidade, nada, jamais, podendo recalcá-lo ou barrá-lo; o desejo está sempre em pé de igualdade com sua própria verdade. Em consequência de todas essas ilimitações que são produzidas pela escrita, o desejo vai se tornar para si mesmo sua própria lei; vai se tornar um soberano absoluto que detém em si sua própria verdade, sua própria repetição, seu próprio infinito, sua própria instância de verificação. Nada mais pode dizer ao desejo: "És falso", nada mais pode dizer ao desejo: "Não és a totalidade", nada mais pode dizer ao desejo: "Há o que sonhas, mas há também aquilo que se opõe a ti". Nada mais pode dizer ao desejo: "Vives isso, mas a realidade te propõe outra coisa". Graças à escrita, o desejo se tornou, entrou definitivamente no mundo da verdade total, absoluta e ilimitada e sem contestação exterior possível.

Nessa medida, vocês veem que a escrita sadiana não tem, de modo algum, por característica comunicar, impor, sugerir a alguém as ideias ou os sentimentos de um outro; não se trata absolutamente de persuadir alguém de uma verdade exterior. A escrita sadiana é uma escrita que, em realidade, não se endereça a ninguém, não se endereça a ninguém na medida em que não se trata de modo algum de persuadir alguém de uma verdade que Sade teria na cabeça, ou que ele teria percebido, ou reconhecido, e que se imporia, que se imporia da mesma maneira ao leitor e ao autor. A escrita de Sade é uma escrita absolutamente solitária que, em certo sentido, ninguém pode compreender e que não pode persuadir ninguém. E, no entanto, é absolutamente necessário para Sade que todas essas fantasias passem pela escrita e pela escrita no que ela tem de material, pela escrita no que ela tem de sólido, já que, como nos diz esse texto de Juliette, é essa escrita, essa escrita material, essa escrita feita de signos colocados sobre uma página que podemos ler, corrigir e retomar indefinidamente, é essa escrita que vai colocar o desejo nesse espaço completamente ilimitado onde o exterior, o tempo, os limites da imaginação, as proibições e as permissões estão definitiva e totalmente abolidos. A escrita é, portanto, simplesmente o desejo que chegou enfim a uma verdade que nada mais limita. A escrita é o desejo tornado verdade, é a verdade que tomou a forma do desejo, do desejo repetitivo, do desejo ilimitado, do desejo sem lei, do desejo sem restrição, do desejo sem exterior, e é a supressão da exterioridade em relação ao desejo. É isso, decerto, que a escrita consuma efetivamente na obra de Sade, e é por isso que Sade escreve.

Segunda sessão

Acabamos de ver as razões pelas quais Sade utilizava e escrevia seus devaneios e quais eram, no próprio nível da escrita de Sade, as relações entre o desejo, a fantasia, o devaneio e a fantasmagoria erótica. Agora vamos deslocar um pouquinho o ponto de análise e tentar ver a significação que Sade dá não tanto a seus discursos teóricos, mas à alternância que se encontra regularmente em seus textos entre os discursos teóricos e as cenas eróticas (chamarei de "cenas" essas passagens nas quais Sade explica e descreve toda a combinatória sexual a que se entregam os parceiros e os personagens de seus romances, e então chamarei de "discursos" essas longas passagens teóricas que se alternam regularmente, com a exatidão de um pêndulo, com as cenas eróticas). É desse problema, em todo caso, que gostaria de partir, do problema da alternância entre o discurso e a cena. Essa alternância não só é visível como constitui uma verdadeira obsessão, já que, com uma regularidade mecânica, cada cena é precedida de um discurso teórico que é, por sua vez, seguido de uma cena, e isso ao longo dos 10 volumes inteiros de *A nova Justine*. Nos *Cento e vinte dias* então, a mecânica é organizada de antemão, já que certas horas do dia são reservadas muito explicitamente aos discursos, enquanto outras horas são reservadas às cenas de erotismo. O que significa esse princípio da alternância? É esse tema que gostaria de examinar.

A primeira ideia ou explicação que vem à mente é evidentemente muito simples. Afinal, será que esses discursos que se alternam com cenas eróticas não estão ali para dizer a verdade sobre essas cenas eróticas? As cenas representariam as coisas, os atos; as práticas representariam a sexualidade em sua dramaturgia, em seu teatro, e então os discursos viriam *a posteriori*, ou antes, para explicar o que aconteceu, para dizer a verdade, para demonstrar, justificar o que foi encenado nas passagens que precedem ou que se seguem. Ora, o que é impressionante mesmo assim a partir do momento em que olhamos um pouquinho para esses discursos é que Sade não explica, nunca tenta explicar o que é a sexualidade; como pode acontecer, por exemplo, que alguém deseje sua própria mãe, ou como pode acontecer de alguém ser homossexual, ou por que desejamos matar as criancinhas, etc. Enfim, tudo aquilo que poderia, no nível de uma psicologia, ou de uma fisiologia, ou simplesmente de uma explicação naturalista, dar conta do que é efetivamente contado, tudo o que poderia retranscrever em termos de explicação verdadeira o que foi apresentado sob forma de cena, nunca o encontramos nos discursos de Sade. Os discursos de Sade não falam do desejo; não falam da sexualidade, a sexualidade e o desejo não são objetos do discurso. Os objetos do discurso de Sade são outra coisa; ele trata de Deus, do contrato social, do que é um crime em geral; do que é a natureza, da alma, da imortalidade, da eternidade. São esses objetos que estão presentes no discurso sadiano; o desejo mesmo não está presente nesses discursos como objeto. Ora, por outro lado – e é essa segunda observação que, ao lado da primeira, nos servirá de ponto de partida – existe, no entanto, entre o desejo, que não está, portanto, presente como objeto no discurso e o próprio discurso, existe uma ligação que é quase fisiológica, já que o discurso de Sade tem lugar seja antes da cena, seja depois. Se ele tem lugar antes da cena, o discurso serve de algum modo para construir o teatro onde a cena se desenrolará. Por exemplo, no fim de *Juliette*, conta-se o estupro da pequena Fondange, uma menina que é confiada a Juliette e que Juliette despoja de seus bens antes de despojá-la de suas roupas e antes de estuprá-la e massacrá-la. Antes dessa cena, vem um longo discurso sobre o contrato social, sobre as relações de obrigação que podem existir entre os indivíduos e sobre o caráter mais ou menos coercivo da obrigação que pode ligar os indivíduos entre si. É de alguma forma o teatro teórico sobre o qual vai se desenrolar a cena, já que a pequena Fondange foi confiada por sua mãe a Juliette, que prometeu cuidar dela, conservar seus bens e casá-la, coisas que, evidentemente, ela não faz. Ora, no fim desse longo discurso, que é uma encenação teórica do que vai acontecer, da peça que vai se desenrolar, o que acontece? É que, pelo fato mesmo do discurso – no qual se tratou apenas, no entanto, da obrigação em geral, dos deveres de reciprocidade, do contrato, da legislação, da criminalidade, etc. –, ao termo desse discurso puramente teórico, os parceiros do discurso, aqueles que estão conversando, chegam a tal ponto de excitação sexual, por estarem tendo essa discussão teórica, que fazem naturalmente aquilo que vai se passar (que, no entanto, não sonharam no discurso, já que o discurso era inteiramente abstrato e consagrado à lei, etc.), e isso bastou para conduzi-los ao último grau da excitação sexual.

Em outros episódios, o discurso não precede a cena; ele a segue. Passa-se alguma coisa (Bressac estupra sua mãe) e há um discurso para explicar, por exemplo, por que e como as relações de família não devem ser tomadas a sério, e longas considerações sobre a família ao termo das quais as pessoas são de novo, e simplesmente por causa desse discurso teórico, conduzidas a tal auge de excitação sexual que não podem deixar de recomeçar aquilo que já fizeram, de tal modo que se vê o discurso funcionar em relação ao desejo como motor e princípio do desejo. Ele se liga de algum modo ao desejo no próprio nível de sua mecânica; a mecânica do discurso acarreta a mecânica do desejo, e, quando esta chega a seu termo, o discurso retoma a palavra e relança de algum modo o desejo, de maneira que desejo e discurso se ligam um ao outro no nível de seu mecanismo interno, ao passo que o desejo não está presente no discurso. O discurso de Sade não é, portanto, um discurso sobre o desejo; é um discurso com o desejo, um discurso em seguimento ao desejo, é um discurso antes ou depois do desejo, um discurso que faz as vezes do desejo antes que o desejo apareça ou depois que o desejo desaparece, é o lugar-tenente do desejo. O discurso e o desejo têm, portanto, o mesmo lugar e, por conseguinte, encadeiam-se um ao outro, sem que o discurso esteja acima do desejo para dizer sua verdade. É esse tema, vale dizer, o fato de que o discurso não diz a verdade sobre o desejo, mas que discurso e desejo se encadeiam, que verdade e desejo se encadeiam um ao outro segundo certa mecânica, é esse tema que gostaria de desenvolver.

Primeira questão, portanto: o que encontramos nesses discursos, o que eles dizem? Dizem, no fundo, sempre a mesma coisa... Os discursos de Sade dizem exatamente não a mesma coisa, mas as quatro mesmas coisas. Os discursos de Sade, ao longo dos 10 volumes de *Justine* e *Juliette*, assim como ao longo dos *Cento e vinte dias* e de todas as outras obras de Sade, esses discursos dizem as quatro mesmas coisas. É como uma espécie de poliedro de quatro faces que seria perpetuamente relançado pelos personagens e que recairia ora sobre uma face, ora sobre a outra, ou que eventualmente, ao longo de um discurso, rolaria sucessivamente sobre as quatro faces, as quatro faces sendo fáceis de determinar. Cada uma traz uma constatação de inexistência.

A primeira face, a base de todo esse poliedro, é evidentemente esta: Deus não existe, e a prova de que Deus não existe é que ele é inteiramente contraditório. Dizem que Deus é todo-poderoso, mas como é que a cada instante sua vontade pode ser balançada pela vontade dos homens? Logo, ele é impotente! Deus, dizem, é livre, mas, na verdade, os homens são livres para não fazerem o que Deus quer; logo, Deus não é livre! Dizem que Deus é bom, mas basta olhar para o mundo como ele anda para ver que Deus não é bom, e sim mau. E, portanto, Deus não existe, primeira constatação, porque ele é contraditório.

Segunda constatação: a alma também não existe, porque também ela é contraditória. De fato, se está ligada ao corpo, se está submetida ao corpo, se pode ser invadida pelo desejo ou pela emoção, é porque é material. Se nasce com o corpo, se aparece no mundo ao mesmo tempo que o corpo, é porque é material. Se nasce com o corpo, se aparece no mundo ao mesmo tempo que o corpo, é porque não é eterna como dizem, é porque é perecível. Se a alma é culpada quando comete um pecado, como pode ser que esse pecado seja um dia perdoado e que ela volte a ser inocente? Em contrapartida, se a alma foi determinada a fazer o que faz, como é que ela pode ser condenada? Etc. Toda uma série de paradoxos que, todos, tendem a demonstrar que a alma é em si mesma contraditória e que, por conseguinte, ela não pode existir.

Terceira constatação de inexistência: o crime não existe. De fato, o crime só existe em referência à lei; lá onde não há lei, não há crime. Quando a lei não proíbe certa coisa, essa coisa não pode existir como crime. Ora, o que é a lei senão aquilo que foi decidido por certos indivíduos e em benefício tão somente de seus interesses? O que é a lei senão a expressão de uma conjuração de alguns indivíduos em seu interesse próprio, e, por conseguinte, como se pode dizer que o crime é ruim se ele é simplesmente aquilo que se opõe à vontade de alguns e à sua hipocrisia?

Quarta constatação de inexistência, a natureza não existe, ou, antes, a natureza existe, mas se existe, nunca é senão sob o modo da destruição e, por conseguinte, da supressão de si mesma. De fato, o que é a natureza? A natureza é aquilo que produz os seres vivos. Ora, o que caracteriza os seres vivos senão precisamente o fato de morrerem? E morrer seja por uma fatalidade natural que é a de seu envelhecimento, o que prova que a natureza não pode fazer outra coisa senão destruir a si mesma, seja pela violência dos outros indivíduos que foram eles próprios criados pela natureza com sua violência, sua maldade, seu apetite, sua antropofagia, etc. E, por conseguinte, é ainda a natureza que se destrói a si mesma; logo, a natureza é sempre destruição de si e, no entanto, a natureza de cada indivíduo o leva a tentar conservar a si mesmo. Em todo indivíduo, a natureza inscreveu essa necessidade da conservação; ora, se é uma lei da natureza que os seres se conservem, como é possível que seja uma lei da natureza que os indivíduos morram, morram por si mesmos ou pelas mãos dos outros? Por conseguinte, encontramos aí, nessa necessidade dos seres de se conservarem, e nessa fatalidade que os destina à morte, algo que escava no próprio coração da natureza uma contradição onde ela própria desaparece.

Portanto, quatro teses de inexistência: Deus não existe, a alma não existe, o crime não existe, a natureza não existe; e são essas quatro teses que, indefinidamente, sob todas as suas faces, com todas as suas consequências e a partir de todas as suas hipóteses, são repetidas ao longo de toda a obra de Sade. Ora, essas quatro teses definem exatamente aquilo que se poderia chamar a existência irregular em Sade. De fato, o que é um indivíduo irregular no sentido de Sade? É aquele que, de uma vez por todas, postula o quádruplo princípio dessa quádrupla inexistência; é um indivíduo que não reconhece nenhuma soberania acima dele: nem a de Deus, nem a da alma, nem a da lei, nem a da natureza. É o indivíduo que não está ligado a nenhum tempo, a nenhuma eternidade, a nenhuma imortalidade, a nenhuma obrigação, a nenhuma continuidade que estaria acima do instante não apenas de sua vida, mas também de seu desejo. A existência irregular é a existência que não reconhece nenhuma norma, nem uma norma religiosa vinda de Deus, nem uma norma pessoal definida pela alma, nem uma norma social definida pelo crime, nem uma norma natural. Enfim, a existência irregular é a existência que não reconhece nenhuma impossibilidade; se não há nenhum Deus, nenhuma identidade pessoal, nenhuma natureza, nenhuma coação humana de uma sociedade ou de uma lei, então não há mais diferença entre o possível e o impossível. No fundo, a existência irregular, vale dizer, a existência de Juliette, vale dizer, a existência dos heróis sadianos, é a existência a que tudo pode acontecer fora de todas as normas e no recomeço descontínuo de todos os instantes. Eis, portanto, o primeiro balizamento do que são esses discursos, discursos, portanto, de quatro teses negativas que definem a existência irregular do personagem sadiano.

A partir daí, podemos tentar colocar a questão da função desses discursos. Para que servem esses discursos? Por que esses discursos com suas quatro teses negativas? Por que eles intervêm? Que jogo jogam e como se ligam ao desejo por essa espécie de mecânica de que a excitação sexual dos personagens ao final desses discursos é o efeito e o símbolo? Proponho, a título de hipótese, recolocar, isolar cinco funções desses discursos sadianos.

Primeira função: ela é clara, é evidente, repleta de sentido. Esses discursos intervêm antes das cenas de orgia, de devassidão, antes dos crimes. Por quê? Para fazer com que o personagem não renuncie a nada de seus desejos, a nenhum de seus desejos, e para que ele não deixe escapar nenhum dos objetos a que poderia visar. Os discursos, no quadro dessa primeira função, têm, portanto, como papel: 1) abolir todos os limites, apagar todos os limites que o desejo poderia encontrar, fazer com que não se renuncie a nada do desejo; 2) fazer com que nunca se sacrifique nada de seu próprio interesse e, por conseguinte, que nunca se sacrifique a si mesmo pelo interesse do outro. Em outras palavras, meus desejos devem ser inteiramente realizados; em segundo lugar, meu interesse deve sempre ser o primeiro; em terceiro, minha existência deve ser salva absolutamente. É o que o personagem de Sade repete antes de começar a cena ou a orgia, é o que ele repete para si mesmo, é o que diz ao outro para convencê-lo e arrastá-lo para si: "Não renunciarás a nada de teus desejos, não sacrificarás em nada teu interesse, considerarás sempre tua vida como um absoluto". Se observamos um pouquinho essa primeira função muito simples e muito evidente do discurso, percebemos ainda assim que esse discurso que se dá como discurso filosófico, como longa demonstração de quatro inexistências, percebemos ainda assim que esse discurso é bastante surpreendente, pois, no fundo, é a inversão termo a termo da função do discurso filosófico, ideológico, do Ocidente.

No Ocidente, o papel do discurso, ou do discurso ideológico, era um papel castrador. De fato, desde Platão, sempre se tratou de definir, de fundar a identidade do indivíduo numa renúncia a uma parte de si mesmo. O discurso filosófico e religioso sempre foi, desde a era grega, *grosso modo*, isto: não serás totalmente tu mesmo senão na medida em que renunciares a uma parte de ti mesmo. Assim, para começar, não serás reconhecido por Deus, não serás nomeado por ele, não serás chamado por ele, não serás eleito e escolhido eternamente por ele, a eternidade não pronunciará teu nome, a menos que renuncies, que renuncies ao mundo, ao corpo, ao tempo, ao desejo. Ou ainda (diz sempre esse mesmo discurso religioso e filosófico do Ocidente), não terás um lugar na sociedade, não serás alguém entre todos os outros, não receberás um nome ali, um nome singular – e, por conseguinte, escaparás à qualificação coletiva de criminoso ou de louco –, não terás um nome e um renome senão na medida em que existires individualmente e, por conseguinte, somente na medida em que renunciares, em que renunciares a teus desejos, a tua vontade de assassinato, a tuas fantasias, a teu corpo e à lei de teu corpo. O discurso filosófico, o discurso religioso, o discurso teológico é um discurso castrador, e, em relação a ele, pode-se dizer que os discursos de Sade têm uma função de descastração na medida em que se trata não de superar o momento da castração, mas de negar, de denegar e recusar a própria castração. E isso por um simples jogo de defasagem nas negações: o discurso sadiano nega tudo aquilo que o discurso filosófico e religioso tinha querido afirmar. O discurso religioso e filosófico do Ocidente, de uma maneira ou de outra, sempre afirmou Deus, sempre afirmou a alma, sempre afirmou a lei, sempre afirmou a natureza. O discurso sadiano nega tudo isso. Inversamente, o discurso filosófico do Ocidente, a partir dessas quatro afirmações fundamentais, dessa quádrupla asserção filosófica, introduziu a ordem da prescrição, que é negativa: se Deus existe, tu não farás isto; já que tua alma existe, não tens o direito de fazer aquilo; já que há uma lei, renunciarás a tal coisa; já que existe uma natureza, não deverás violá-la. Em outras palavras, o discurso filosófico do Ocidente, a partir de quatro asserções fundamentais, de quatro afirmações fundamentais, introduzia a negação na ordem da moral, da lei, na ordem da prescrição. A metafísica ocidental é afirmativa no nível da ontologia; mas é negativa no nível da prescrição. Inversamente, o jogo do discurso sadiano é o de inverter a negação, negar tudo o que era afirmado: Deus não existe. Por conseguinte, a natureza não existe, a alma não existe, e, por conseguinte, tudo é possível e nada mais é recusado na ordem da prescrição.

Para esquematizar, poderíamos dizer que há quatro tipos de discurso. Em primeiro lugar, o discurso do inconsciente, que, se acreditamos em Freud, é inteiramente afirmativo. Ele afirma que as coisas são ao mesmo tempo que afirma que o desejo deseja; portanto, duas afirmações no nível da existência e do desejo. Na outra extremidade, vocês têm o discurso esquizofrênico, que nega tudo. Nada existe (o mundo não existe, a natureza não existe, eu não existo, os outros não existem), e essa negação envolve a negação do desejo: não desejo nada. Vocês têm, portanto, o discurso do inconsciente, inteiramente afirmativo, e o discurso esquizofrênico, inteiramente negativo. Vocês têm o discurso ideológico ou filosófico ou religioso, que afirma na ordem da verdade (Deus, a natureza, o mundo e a alma existem), e nega na ordem do desejo – "por conseguinte, não desejarás, por conseguinte, renunciarás". E vocês têm, então, como quarto discurso, o discurso libertino, o discurso libertino que é o inverso do discurso ideológico e que poderíamos chamar também de discurso perverso. É o discurso que nega tudo o que o discurso filosófico afirma, que nega, por conseguinte, na ordem da asserção e que afirma na ordem da prescrição e diz: Deus não existe, a alma não existe, a natureza não existe, logo, desejo. Eis, se quiserem, a primeira função desse discurso, a de se constituir como discurso que desloca o sistema da negação no interior do discurso metafísico do Ocidente, esse discurso que desempenha em relação ao desejo a grande função da castração.

A segunda função do discurso de Sade é esta: em todos os textos de Sade, o discurso libertino é evidentemente proferido pelo herói positivo em Sade, vale dizer, o próprio libertino; mas no que diz respeito não mais ao locutor, e sim àquele a quem se endereça o discurso, aí acontece, em certo número de casos, de o interlocutor ser simplesmente a futura vítima. Diz-se à futura vítima: Deus não existe, e se te deixares convencer por essa verdade, escaparás do suplício. Ora, o que é curioso é que nunca nenhuma vítima se deixa persuadir, e todas, apesar da evidente ameaça que pesa sobre elas, permanecem inteiramente surdas a esse discurso. Ora, esse discurso é, no entanto, apresentado por Sade como um discurso não apenas absolutamente verdadeiro em suas consequências, mas também absolutamente rigoroso em seu desenvolvimento, e Sade não para de repetir que assim que se presta um pouquinho de atenção, não se pode não ser convencido. Ora, em seus romances, parece que essa força de persuasão não se manifesta de modo algum, pois nunca em toda a obra de Sade se vê alguém que seja convencido. De fato, os interlocutores, aqueles a quem se endereçam os discursos de Sade, são talvez as vítimas; mas esse discurso só se endereça a elas como alvos e de modo algum como a verdadeiros interlocutores. O verdadeiro interlocutor é o outro libertino que está ali, ou que está ausente – e que, naturalmente, se deixa facilmente convencer por esse discurso, uma vez que já admitiu seus pressupostos fundamentais; aliás, ele mesmo o proferiu, esse mesmo discurso, algumas páginas antes. Por conseguinte, o jogo já está decidido: o discurso se endereça, portanto, a título de alvo à vítima, mas a título de interlocutor ao outro libertino já convencido. De modo que não é verdadeiramente uma função de persuasão que o discurso de Sade exerce, é uma coisa totalmente diferente. Na verdade, o discurso se dirige de libertino a libertino.

Além do mais, afinal, seria muito incômodo se as vítimas se deixassem persuadir, pois então não seriam mais vítimas e não se poderia mais brincar com elas; por conseguinte, é mesmo preciso que as vítimas não sejam persuadidas, é mesmo preciso que o discurso não tenha função de persuasão; o discurso se endereça, portanto, aos outros libertinos, mas por que, se eles já estão convencidos? Acredito que esse discurso serve essencialmente de brasão e, de algum modo, de signo de reconhecimento; é, no fundo, para estabelecer um limiar de diferenciação entre os libertinos e as vítimas. De fato, das duas uma: ou alguém admite as quatro teses, as quatro negações fundamentais, e, assim, é um libertino; ou não admite todas as quatro em sua solidariedade, falta uma, ainda que só uma, e, sendo assim, o indivíduo não é um verdadeiro libertino, e pode-se rejeitá-lo, colocá-lo do lado das vítimas. Por conseguinte, os quatro discursos vão servir de signo, de prova e, de algum modo, de exame, de diferenciação, para saber a propósito de alguém se está do lado das vítimas ou se é preciso colocá-lo do lado dos libertinos. E é assim que vocês encontram amiúde esses famosos discursos que se desenvolvem a título de exame probatório. Quando Minsky, esse gigante antropófago, encontra a boa Juliette, coloca-lhe certo número de questões. Pergunta-lhe: "Será que não acreditarias em Deus?". "É claro que não", responde Juliette, e, uma vez passado o exame, Minsky reconhece que Juliette é libertina, libertina como ele, e, por conseguinte, Juliette não vai ser estuprada. Bem entendido, ela sofrerá violências, mas não será morta, não será comida, etc. Ela passou, portanto, para o lado dos libertinos.

Em seguida, sempre nesse mesmo registro, uma segunda variante funcional nessa função geral do reconhecimento dos libertinos entre si é que os libertinos estendem armadilhas uns para os outros, para saber se estão no mesmo grau de libertinagem. Criam armadilhas, fazem espécies de exames uns com os outros; representam como que comédias teóricas. Pode-se assim retomar a cena a propósito da pequena Fondange, que é uma das últimas de *Juliette*: Juliette reencontra Noirceuil e não sabe se este permaneceu nas mesmas disposições de espírito e se continua tão libertino quanto era. Então ela lhe diz: "Acabo de encontrar a pequena Fondange, que me foi confiada com todos os consideráveis bens de sua mãe; estou decidida a lhe entregar seus bens e preparar para ela o suntuoso casamento que prometi à sua mãe". Noirceuil, nesse momento, espanta-se e diz para si mesmo que Juliette mudou, começa a desconfiar; então, vendo que Noirceuil permaneceu nas mesmas disposições (já que se inquieta e mesmo se indigna ao ver seus bons sentimentos), Juliette se tranquiliza. Verifica que Noirceuil permaneceu no mesmo nível de libertinagem; assim, os dois libertinos se reconheceram. Nenhum dos dois caiu na armadilha que um criou para o outro.

A necessidade de criar armadilhas é grande, pois essas quatro teses, não se deve considerá-las como sendo de algum modo os quatro artigos de um dogma que seria admitido de uma vez por todas; sequer são as consequências fatais e necessárias de um raciocínio impecável. Essas quatro teses são, no fundo, tarefas morais, e, a cada instante, um libertino, mesmo muito libertino, pode deixar escapar uma, pois é muito difícil manter todas as quatro sem esquecer nenhuma e pensá-las muito intensamente. E acontece, de fato, ao longo da história de Juliette, de que alguns libertinos que tinham sustentado as quatro teses deixem de sustentar uma, e deixem assim de ser verdadeiros libertinos. Desse modo, alguém que é, contudo, bastante notável, que se chama Cordely e que, no decorrer de uma cena bastante forte, estupra sua filha, mata-a, manda cozinhá-la e come-a, Cordely, que dá, portanto, sinais de uma grande libertinagem, depois dessa cena se retira num quartinho. Juliette espia o que está havendo e percebe que Cordely está se arrependendo do que fez e roga a Deus, no caso de Deus existir, que lhe perdoe o que acaba de fazer. Portanto, Cordely deixou escapar a primeira tese, a propósito da existência de Deus. Por conseguinte, não é um bom libertino, deixa mesmo completamente de ser considerado um libertino e será morto por sua vez. É o que acontece também, aliás, com Saint-Fond. Ele sustenta bem, por certo tempo, as quatro teses, mas acaba deixando escapar uma outra, não mais aquela da inexistência de Deus, mas a da imortalidade da alma. Saint-Fond faz isto: no momento em que uma de suas vítimas vai morrer, ele a leva para um de seus gabinetes particulares; ali, obriga-a a pronunciar as mais abomináveis blasfêmias, blasfêmias tais que, no caso de sua alma ser eternamente imortal, essa alma seria eternamente danada. E Saint-Fond diz: "Mas aí está um suplício admirável, porque, caso a alma seja imortal, estou certo de ter feito minha vítima sofrer, não apenas durante toda sua vida, mas durante tudo o que lhe resta de eternidade a percorrer". É, portanto, o auge do suplício; diante do que Juliette e Clairvil observam, com razão, que essa eternidade do suplício só é concebível sob a condição de que a alma seja imortal; isso prova que Saint-Fond deixou escapar a tese segundo a qual a alma é mortal; por conseguinte, Saint-Fond deverá ser punido... E é por isso que ele é efetivamente sacrificado por Noirceuil. Portanto, função de brasão, função de reconhecimento, de distinção, função de prova e de provas perpetuamente renovadas.

Essa função de diferenciação é importante; ela envolve, acredito, duas séries de consequências. Ela permite a afirmação dessas teses; a adesão a esses discursos indefinidamente recomeçados permite, portanto, distinguir duas categorias de indivíduos: aqueles que são chamados de vítimas, vale dizer, indivíduos que, por assim dizer, caem fora do discurso, que permanecem no exterior, que nunca se deixam e nunca se deixarão persuadir. Esses vão se tornar, pelo simples fato de estarem no exterior do discurso, espécies de objetos infinitos; vale dizer que o desejo do libertino vai se encarniçar sobre eles indefinidamente, vai se encarniçar sobre seus corpos, sobre cada pedaço de seus corpos, sobre cada centímetro de sua anatomia, sobre cada órgão. O estupro, naturalmente, não é mais que o primeiro episódio, e isso não terminará enquanto a atividade do personagem sadiano não tiver se exercido até o mais profundo de sua anatomia, enquanto o indivíduo não tiver sido violado, cortado em pedaços, desmembrado, enquanto suas entranhas não tiverem sido arrancadas, seu coração devorado, enquanto tudo aquilo que está no interior do corpo não tiver sido posto para fora, enquanto ainda restar um único pedaço inteiro que seja; é a divisão ao infinito, pelo desejo do outro, do corpo daquele que cai fora do discurso. Em outras palavras, se você cai fora do discurso, seu corpo será indefinidamente objeto de desejo, vale dizer, indefinidamente objeto de perseguição, de repartição, de desmembramento, de despedaçamento; é a parcelarização ao infinito do corpo daquele que está fora do discurso. A partir do momento em que se está fora do discurso, o corpo perde sua unidade, o corpo não tem mais organização, soberania; o corpo não é mais uno e, por esse simples fato, torna-se então o formigamento indefinido de todos os objetos possíveis de desejos que crescem, multiplicam-se e desaparecem diante da violência do outro. Isso no que diz respeito à vítima.

Em contrapartida, há os libertinos, os parceiros, vale dizer, aqueles que estão no interior do discurso, aqueles que admitem as quatro teses e que se mantêm no interior dessas quatro teses. Estes, o que vai lhes acontecer, e o que vai acontecer a seus corpos? Para começar, eles não vão morrer. Há um entendimento entre os libertinos de que, a partir do momento em que se reconheceu em alguém um libertino, o homem das quatro teses, não se deve matá-lo. Em contrapartida, o seu corpo poderá ser usado, ele deverá mesmo cedê-lo, mas ele o dará, seu corpo, sob uma forma totalmente diferente. Ele vai dar sua boca, ele vai dar seu sexo, ele vai dar tal ou tal parte de seu corpo que agradar ao parceiro, mas será sempre de algum modo por unidade orgânica que o corpo vai ser emprestado e deverá ser devolvido. Aquele que utiliza assim o corpo do libertino – o outro libertino – deverá, por sua vez, caso necessário, emprestar uma parte semelhante, simétrica ou outra, de seu corpo; todavia, é sempre uma parcelarização orgânica, e não infinita como no caso da vítima. O libertino é para o outro libertino, no interior do discurso das quatro teses, não o objeto infinito, como a vítima, mas um objeto que chamarei de objeto elementar. Esse discurso permite, portanto, distinguir como objeto de desejo os objetos infinitos, indefinidamente massacrados e parcelarizados, e então os objetos elementares que vão ser divididos, mas segundo uma anatomia e de maneira a preservar a integridade do corpo e a integridade da vida. O libertino não morrerá por ter emprestado seu corpo, ao passo que a vítima morrerá sempre sob o efeito dessa divisão ao infinito. O discurso tem, portanto, como segunda função essa distinção de dois tipos de objeto erótico: o objeto-parceiro ou objeto elementar, e o objeto-vítima ou objeto infinito.

Vocês veem aqui, imediatamente – e está aí o segundo grupo de consequências –, que nascem dois problemas bastante difíceis. De fato, na primeira função do discurso, chegava-se, graças a ele, a afastar tudo aquilo que podia limitar o desejo; ora, eis que agora, essa segunda função, distinguindo dois tipos de objeto, a vítima e o parceiro, introduz uma limitação e, para dizer a verdade, duas limitações, já que, por um lado, o objeto-vítima, o objeto infinito, vai necessariamente desaparecer, vai morrer, vai ser indefinidamente anatomizado, nada restará dele, e virá o momento em que o desejo que tenho dessa vítima encontrará o limite da desaparição. A vítima não estará mais ali para satisfazer o desejo, e, por outro lado, tenho muito bem o direito de dispor do parceiro, no sentido de que posso tomar emprestada uma parte de seu corpo, e, no entanto, não terei o direito de matá-lo. Na Sociedade dos amigos do crime, o artigo II diz isto: o roubo é permitido no interior da sociedade, mas o assassinato só o é no interior dos haréns, os haréns sendo os lugares onde são encerradas as vítimas. Ali, o assassinato é possível, mas, entre os libertinos, não pode haver assassinato; e quando Juliette deixa o castelo de Minsky na Itália, onde ela foi ao mesmo tempo prisioneira e soberana, alguém a aconselha a matar Minsky, dizendo-lhe como isso seria agradável, ao que Juliette responde que, efetivamente, seria muito agradável, mas que Minsky é um libertino e que, por conseguinte, ela não pode matá-lo; não tem esse direito... Encontramos aí outro limite do desejo. Dois limites, por conseguinte: se quero conservar o objeto de meu desejo, é preciso que faça dele meu igual, que ele seja um libertino, e, inversamente, se quero que o outro seja uma vítima, se quero, por conseguinte, possuí-lo indefinidamente, eu o matarei e ele desaparecerá. É a partir desse problema que vemos aparecer aquilo que é a terceira função do discurso de Sade, que chamarei de função de destinação.

De fato, em todos esses discursos, há ainda assim alguma coisa de muito paradoxal. O discurso é, sob uma forma ou outra, a repetição dessas quatro asserções de inexistência (Deus, a alma, o crime[67] e a natureza não existem). Ora, suponhamos que Deus não exista: é evidente que nada do que a religião possa me ensinar ou proibir tem existência; todas essas coisas só podem ser então quimeras, ilusões, erros, etc. Logo, se Deus não existe, será que pode haver para o libertino, convencido dessa inexistência, um desejo qualquer? Por exemplo, de fazer amor numa igreja ou de gozar em cima de uma hóstia? Se é verdade que o incesto, o crime de incesto não existe, que prazer especial pode haver em se fazer amor com alguém da própria família? Ora, a cada instante, vemos os personagens de Sade sentirem o máximo de prazer e de desejo ao fazerem operações desse gênero. Tomemos o episódio de Bressac: Bressac explica a Justine que os laços naturais da família no fundo não existem. O que é, afinal, uma mãe? Não é absolutamente nada! Uma mãe é simplesmente uma mulher que um dia ou uma noite fez amor com alguém, que

[67] O que Foucault chama anteriormente de inexistência da lei.

sentiu prazer e, desse prazer puramente pessoal, seguiu-se, a título de consequência fisiológica, o nascimento do filho. Esse filho, dirão talvez que ela o alimentou, mas, também aí, alimentar um filho não é mais que satisfazer um instinto ou uma necessidade fisiológica e puramente animal; a melhor prova disso é que as fêmeas dos animais também alimentam seus filhos. Dirão talvez que o laço materno vai mais longe, já que as mães cuidam de seus filhos, de sua educação, etc. Ao que Bressac responde: mesmo isso não passa de um princípio de vaidade; as mães desejam que seus filhos sejam bem-sucedidos, sabidos, etc. Por conseguinte, se considerarem em toda sua carreira e seu desenvolvimento aquilo que o laço de afeição da mãe ao filho é, nunca encontrarão mais que uma sucessão de prazeres (prazer físico, necessidade fisiológica, prazer de vaidade), e não há nada, nunca nada, que de algum modo funde em sua especificidade um laço materno, um laço mãe-filho, que seja sagrado e intocável. Depois de ter explicado isso, Bressac poderia dizer e deveria dizer que, no fundo, se entre uma mãe e um filho não há laços particulares, fazer amor com sua mãe ou fazê-lo com sua empregada, ou com sua prima, ou com uma estranha não apresenta nenhuma diferença; a única diferença poderia estar simplesmente na beleza ou juventude dessa pessoa. Ora, acontece que Bressac é um homossexual inveterado e, por conseguinte, deveria dizer, afinal, "que ela seja minha mãe não impede que eu não a deseje mais que qualquer outra mulher". Ora, Bressac precisamente faz à sua homossexualidade de princípio e de prática uma exceção – a única exceção de sua vida – para sua mãe, pois o fato de ela ser sua mãe provoca nele uma excitação erótica tão grande que ele comete com ela o ato de sodomia. Isso quer dizer, portanto, que o fato de ser sua mãe desempenha no nível de seu desejo um papel particular. É por ser sua mãe que o desejo é deslanchado e consumado.

Poderíamos retomar a mesma coisa a propósito do papa e de Deus. Juliette, muito mais adiante no romance, encontra o papa, faz horrores, é claro, com esse papa, esses horrores são precedidos por um longo discurso do papa, que diz: "Deus, você sabe, isso não existe, estou bem situado para sabê-lo!". E aí então, pega Juliette pela mão e a leva para fazer amor sobre o túmulo de São Pedro, na Basílica de São Pedro. Ora, se realmente Deus não existe, qual o interesse disso? Não é um lugar lá muito confortável! Se o discurso racional suprime Deus, a alma, a natureza, a lei (tudo aquilo que deve ser respeitado no mundo humano), então, será que, no fundo, o discurso não suprime todos esses objetos privilegiados de libertinagem que são o insulto a Deus, a natureza ultrajada, as relações humanas insultadas, etc.?

Acredito que, nesse estágio, é preciso estudar de mais perto os discursos sadianos. Há alguns, um número muito limitado, que são discursos de tipo, digamos, século XVIII, discursos "genéticos", nos quais Sade diz: "Deus não existe, é a imaginação que nasceu outrora do medo que os homens tinham diante dos fenômenos naturais, e, assim, pouco a pouco, a partir dessa inquietude e dessa angústia primeira, a imagem de Deus se formou, e, por conseguinte, não temos por que respeitá-la, já que ela se deve apenas a isso". É o discurso típico do racionalismo agressivo do fim do século XVIII; mas é um discurso muito raro em Sade. O grande discurso de Sade é construído de maneira totalmente diferente; é construído em sentido inverso. Consiste não em dizer: "Deus não existe, portanto ele não é bom nem mau"; mas em dizer: "Deus é mau, e, por conseguinte, já que Deus é mau e que é contraditório que Deus, todo-poderoso, infinitamente bom, etc.

seja mau, é preciso, portanto, que Deus não exista". Ou, ainda, Sade não diz: "O laço materno não existe; a mãe é uma pessoa qualquer, e, por conseguinte, não há por que se perguntar se ela é boa ou má, se está certo ou errado fazer amor com ela". Ele diz: "Minha mãe teve prazer com meu pai; minha mãe teve esse prazer sem pensar em mim, que devia nascer dele, portanto minha mãe é má, portanto, se ela é má, não é boa. Ora, a essência da mãe é sempre ser boa; por conseguinte, a mãe não existe". É sempre, portanto, não da constatação ou da afirmação da inexistência que Sade deduz o fato da indiferença à lei e ao interdito, mas da maldade desses objetos em questão que ele deduz finalmente sua inexistência, o que é muito diferente e coloca, aliás, certo número de problemas lógicos bastante difíceis.

Grosso modo, a trama do argumento é a seguinte: Deus é mau; ora, é contraditório com a existência de um Deus perfeito, definido por sua onipotência e sua bondade, ser mau. Portanto, Deus não pode e não deve existir. O discurso de Sade equivale, portanto, a dizer que quanto mais Deus for mau, menos ele existirá, e que, se Deus fosse bom, ele existiria. Deus, mau, não existe, e, se Deus é um pouco pior que isso, ele existe um pouco menos ainda. A inexistência que é deduzida da maldade cresce com a maldade. Sade retoma o mesmo argumento a propósito da natureza. Sade não diz: "A natureza não existe, portanto, não há sentido em dizer que ela seja boa ou má". Ele diz: "A natureza destrói; ela passa seu tempo criando seres, mas, mal cria esses seres, já os condena à morte ou os abandona: ou eles morrem de velhice ou são mortos. De qualquer maneira, a natureza condena esses seres a morrer, o que é contraditório". Está, portanto, na natureza das coisas que esses seres fadados a morrer se voltem contra a natureza, e isso de dois modos: seja matando eles próprios, e então, quando um ser mata outro, faz aquilo que a natureza faz; portanto, obedece à lei natural, mas o faz no lugar da natureza, o que é uma maneira de matar a natureza (cada vez que mato alguém, tomo o lugar da natureza, portanto, mato a natureza); seja recusando se deixar matar: nesse momento, o indivíduo conserva aquilo que a natureza fez; obedece à lei natural, mas já que a lei natural consiste em que os indivíduos vivos morram, quando um indivíduo vivo se recusa a morrer ele ultraja a natureza, já que, ainda aí, faz o contrário do que a natureza faz. Desse tecido de contradições, que são todas a consequência lógica da maldade da natureza, conclui-se que a natureza não existe, ou, antes, que a natureza existe tanto menos na medida em que é pior – quanto mais a natureza for destrutiva, menos ela existirá. Desse gênero de discursos que consistem em dizer: "Deus é mau, portanto Deus não existe, e quanto pior ele for menos existirá; a natureza não existe porque ela é má; as relações humanas não existem porque os homens são maus"; desse gênero de discursos, portanto, pode-se tirar certo número de consequências de grande importância.

A primeira consequência é esta: a lógica de Sade é uma lógica antirrusselliana, ou, se quiserem, a lógica de Russell[68] é o que se pode imaginar de mais afastado da lógica de Sade. Uma das formas, ao menos, da lógica russelliana indica isto: uma proposição do tipo "a montanha de ouro está na Califórnia" só pode ser verdadeira ou falsa sob a condição de ser decomposta, e que se possa dizer, primeiro,

[68] Bertrand Russell (1872-1970), lógico, epistemólogo e político britânico. Matemático de formação, autor dos *Principia mathematica*, trabalhou sobre a axiomática e sobre os fundamentos da lógica. A filosofia que resultou daí é dita "científica", pois se atribui por objetivo aplicar a análise lógica aos problemas filosóficos clássicos, como o conhecimento ou a natureza do espírito. É considerado o fundador da filosofia analítica.

que a montanha de ouro existe e, a seguir, que a montanha de ouro está na Califórnia. Vocês estão vendo que o raciocínio de Sade repousa sobre uma lógica exatamente inversa, já que se trata não de dizer: "A natureza existe" e, *depois*, "a natureza é má", mas de dizer: "A natureza é má, logo, a natureza não existe". Trata-se de tirar de um juízo de atribuição o juízo de inexistência que incide sobre o sujeito de atribuição, o que é logicamente inconcebível, impraticável, e que, no entanto, está no coração da lógica sadiana. É, portanto, uma lógica absolutamente estranha à lógica de Russell; é uma lógica que é igualmente estranha à lógica cartesiana. De fato, se compararem o argumento de Sade ao argumento ontológico de Descartes, verão que é exatamente o inverso. De fato, a lógica de Descartes consiste em dizer: Deus é perfeito; ora, a perfeição implica a existência; logo, Deus, que é perfeito, existe. Trata-se de partir de um juízo de atribuição e chegar a um juízo de existência. Sade é anticartesiano, assim como é antirrusselliano, já que parte de um juízo de atribuição para deduzir dele não uma existência, e sim uma inexistência. Nessa medida, pode-se dizer que a lógica de Sade é rigorosamente monstruosa, já que, entre a lógica "intuicionista" de Descartes, que repousa necessariamente sobre a ideia e a existência da ideia, por conseguinte, sobre o possível, e a lógica formalista de Russell, Sade chegou a construir essa espécie de lógica absolutamente não viável em termos de lógica: de um juízo de atribuição, ele chega a um juízo de inexistência daquilo mesmo a que a coisa é atribuída. Eis aí, se quiserem, as duas primeiras consequências do discurso sadiano, que funciona, como veremos a seguir, no interior de toda a filosofia ocidental de uma maneira absolutamente perversa e destrutiva.

A terceira consequência é que essas monstruosidades inexistentes que são Deus, os outros, os crimes, as leis, a natureza, etc. não são absolutamente ilusões no sentido do século XVIII. Não são ilusões porque, em relação a uma ilusão, uma vez que ela é descoberta, devemos, evidentemente, nos sentir livres, e não temos mais nada a fazer com esse objeto que descobrimos enfim ser ilusório. É isso que a crítica do século XVIII fez quando demonstrou, por exemplo, que Deus não existia, ou que a alma era uma ilusão. Uma vez demonstrada essa inexistência, estava-se liberado e não se tinha mais nada a fazer com eles. Já Sade não faz de Deus, da alma, da natureza e da lei ilusões, faz deles quimeras, aquilo que chama de "quimeras". A quimera não é o que não existe, é o que existe tanto menos quanto mais é aquilo que é. Deus é uma quimera no sentido de que existe tanto menos quanto mais é adequado a sua essência, quanto mais próximo está daquilo que ele é e deve ser, vale dizer que ele existe tanto menos quanto pior é. Quanto mais Deus se aproximar de sua própria maldade, quanto mais a natureza se aproximar de seu próprio encarniçamento, menos um e outro existirão. Ao passo que a ilusão do século XVIII é aquilo que não existe e de que devemos nos livrar, a quimera sadiana é aquilo que existe tanto menos quanto mais é o que é.

Enfim, a quarta consequência é que, se é verdade que Deus existe tanto menos quanto pior for, no fundo, o que vai aumentar sua maldade, o que vai torná-lo cada vez pior, e o que vai fazer, por conseguinte, com que ele exista cada vez menos? O que é, portanto, essa maldade? A maldade de Deus é essa maldade que faz com que os homens sejam mortos pelos outros, que pessoas virtuosas nasçam para serem vítimas dos maus procedimentos dos outros; o que faz com que Deus seja mau é que há libertinos que conseguem fazer o vício triunfar enquanto a virtude é perseguida e atormentada; no total, o que faz com que Deus seja cada vez pior, o que aumenta a maldade de Deus senão a existência do libertino? Quanto mais libertinos houver, quanto mais o libertino for libertino, mais a maldade de Deus não apenas será provada, mas também efetivamente realizada. O libertino é a maldade de Deus feita corpo; se é verdade que Cristo é a bondade de Deus encarnada, o libertino é, portanto, o Cristo da maldade de Deus, e quanto mais libertinos houver, mais Deus será mau. Mas acabamos de ver que, quanto pior Deus é, menos ele existe; por conseguinte, a multiplicação dos libertinos e a multiplicidade da libertinagem vão, portanto, assegurar cada vez mais a não existência de Deus e, por conseguinte, a não existência de Deus não é uma tese teórica, afirmada de uma vez por todas como uma verdade que poderia ser deduzida de um raciocínio e da qual se poderia, em seguida, deduzir esse raciocínio. A inexistência de Deus é algo que se realiza a cada instante como maldade de Deus, como maldade de Deus em atos, na pessoa e na conduta do libertino. Assim, o desejo e a verdade, ou ainda, o desejo libertino e essa verdade de que Deus não existe estão, portanto, ligados numa relação que não é absolutamente uma relação entre um princípio e suas consequências; é uma relação muito mais complexa: é porque Deus é mau que existem libertinos e existem, por conseguinte, desejos impiedosos; e quanto mais libertinos houver, mais os desejos serão impiedosos, e mais será verdade que Deus não existe. A verdade de que Deus não existe e a multiplicação dos signos estão, portanto, ligadas uma à outra numa espécie de tarefa infinita. Multipliquemos nossos desejos, multipliquemos nossas maldades, agravemos incessantemente o caráter impiedoso de nossos desejos e Deus existirá cada vez menos. O laço entre a verdade e o desejo efetua a monstruosidade da quimera que faz com que a quimera, essa quimera que é

Deus, ou que é a natureza, ou que é a lei, ou que é a alma, faz com que a quimera, portanto, torne-se cada vez mais monstruosa, vale dizer, cada vez mais quimérica, vale dizer, exista cada vez menos e, existindo cada vez menos, torne-se cada vez pior, cada vez mais monstruosa, etc. E assim por diante, sem que Deus jamais caia num silêncio total, sem que Deus jamais desapareça realmente do horizonte do desejo. A inexistência de Deus se consuma a cada instante no discurso e no desejo.

Por conseguinte, pode-se dizer que o desejo de Sade não suprime, como se poderia temer, o objeto do desejo, mas o desejo e o discurso se encarniçam um e outro sobre um mesmo objeto. No fundo, quando lhes dizia há pouco que é curioso que os discursos de Sade falem de Deus e não falem do desejo, quando fazia essa observação, estava esquecendo a coisa fundamental, a saber, que o discurso fala mesmo de Deus, mas é o desejo que, ele também, dirige-se a Deus, e o discurso e o desejo têm efetivamente um mesmo objeto: Deus na medida em que ele não existe, e na medida em que deve ser a cada instante destruído... E é isso, esse laço entre o discurso e o desejo, que é fundamental no discurso sadiano. A partir daí, acredito que é relativamente fácil deduzir as duas últimas funções do discurso em Sade.

Essas duas últimas funções contrapõem-se, em realidade, às duas primeiras e, até certo ponto, limitam-nas, contestam-nas, recolocam-nas em questão. As duas primeiras funções eram, portanto, a função de descastração e a função de diferenciação, de reconhecimento dos libertinos entre si e por oposição às vítimas. Das duas últimas funções, a quarta vai contestar a segunda, a quinta vai contestar a primeira, e, no meio dessas quatro figuras, há a terceira função, que acabo de explicar e que é, digamos, a função de destruição.

A quarta função, função de rivalidade, é esta: os discursos de Sade são sempre os mesmos. De fato, é verdade que são sempre as quatro mesmas teses que são incessante e indefinidamente repetidas. Mas quando se olha um pouco mais de perto, percebe-se que esses discursos variam e que eles variam de acordo com diferentes fatores. Variam em função das situações. Por exemplo, quando se trata de se apoderar da herança da pequena Fondange, o discurso vai versar sobre as relações entre os homens, sobre o caráter mais ou menos sagrado das obrigações, sobre o contrato social, sobre as sanções feitas pela sociedade, etc., e quando, ao contrário, se tratar, com Bressac, por exemplo, de desejar a mãe, então será sobre as relações familiares que o discurso versará. O discurso varia, portanto, de acordo com os objetos, varia igualmente de acordo com os indivíduos, e o discurso dos indivíduos vai variar de acordo com seu caráter próprio, sua situação social, sua educação.

Assim, existe um discurso da Dubois. A Dubois, como seu nome indica, é uma mulher do povo;[69] *grosso modo*, seu discurso vai ser este: "A natureza, ao criar os homens, não se preocupou em fazê-los desiguais; ela os fez, no fim das contas, todos com o mesmo modelo; é a sociedade que cria a desigualdade. É, portanto, natural restabelecer a igualdade às custas da sociedade. Ora, como a sociedade não quer, já que ela própria repousa sobre uma desigualdade, que os homens sejam iguais, só se poderá restabelecer a igualdade pela violência". E ela faz toda uma teoria da violência, da violência necessária para restabelecer contra a sociedade uma igualdade natural que teria sido postulada de início. Semelhante sistema, só o encontramos,

[69] *Dubois*, "do Bosque" ou "da Mata", é um dos sobrenomes (de origem claramente toponímica) mais populares na França. (N.T.)

evidentemente, na Dubois, não vamos encontrá-lo nos aristocratas que são apresentados por Sade.

Vocês têm também o sistema do papa. O papa tem um sistema muito particular, que consiste em dizer primeiro, evidentemente, que Deus não existe. Para ele, não há outro criador além da natureza, mas a natureza não é boa. A natureza é inteiramente feita, inteiramente atravessada por uma fúria destrutiva; por conseguinte, o homem só pode fazer uma coisa: revoltar-se contra a natureza, e, cada vez que uma inclinação natural se apresenta no homem, é dever do homem libertino recusar essa inclinação natural e fazer outra coisa que não aquilo que lhe dita a natureza. É assim que o homem deverá, já que a natureza é má, ultrajar essa natureza, rebelar-se contra essa natureza e, por exemplo, não fazer filhos, praticando sistematicamente a sodomia. A partir desse momento, o que vai se dar? Se o homem nunca praticasse senão a sodomia, a humanidade seria finalmente destruída e a humanidade desapareceria, o que, nota o papa, é exatamente aquilo que a natureza deseja, pois a natureza só pede uma coisa: que a humanidade desapareça – e a melhor prova disso é que a natureza é perfeitamente má para com a humanidade. Esse sistema, vê-se o quanto ele é exatamente ajustado ao papa, e ao papa precisamente. De fato, o papa prega não Deus, mas a natureza, não a bondade universal, mas a maldade universal, não a salvação e a propagação dos indivíduos, mas sua destruição, não a eternidade da humanidade, mas seu desaparecimento definitivo, e, assim, todas as funções tradicionais do papa se encontram invertidas no interior de seu discurso.

Vocês têm igualmente o estranho sistema de Saint-Fond e certo número de outros sistemas, diferentes uns dos outros. Por conseguinte, quando nos detemos no detalhe desses discursos, quando passamos do nível das quatro teses geralmente admitidas para a execução dessas quatro teses e para a maneira como são explicitadas, percebemos que cada libertino tem uma certa maneira de ligá-las entre si. Cada libertino tem uma maneira própria de mostrar como essas teses se organizam, como são fundadas, o que pode justificá-las, as consequências que se podem tirar delas e as práticas criminosas ou sexuais que se podem deduzir delas. Por conseguinte, não há um sistema geral em Sade, não há uma filosofia de Sade, não há um materialismo de Sade, não há um ateísmo de Sade. Há uma pluralidade de sistemas que se justapõem e que só entram em comunicação uns com os outros através da rede das quatro teses de que acabamos de falar.

Essa rede, esses quatro elementos permitem construir, como uma quantidade de cristais diferentes, discursos absolutamente específicos a uma situação ou ao indivíduo; e acontece precisamente que Sade chama de "sistema" as diferentes fisionomias tomadas por essas quatro teses. E é frequente encontrarmos um personagem dizendo a outro: "Fala-me de teu sistema, explica-me teu sistema, acabas de fazer isso, por quê? Enuncia teu sistema, etc.". E esse sistema vai ser a cristalização particular a uma situação e ao indivíduo das quatro teses de que falei. Por conseguinte, e isso explica como essa quarta função do discurso se opõe à segunda, esses discursos vão permitir (além do fato de que têm uma função de reconhecimento e de divisão entre libertinos e vítimas) uma outra função que consiste em distinguir, no próprio conjunto dos libertinos, indivíduos irredutíveis uns aos outros, indivíduos que vão ser caracterizados por seus sistemas, já que os sistemas não são os mesmos de acordo com os indivíduos. Assim, não há sistema geral da libertinagem, mas há para cada libertino um sistema, e esses sistemas definem a singularidade, ou aquilo que Sade nomeia a irregularidade dos indivíduos.

Cada indivíduo é irregular, e sua irregularidade própria se manifesta, se simboliza em seu sistema. Ora, esses sistemas, na medida mesma em que são diferentes, na medida em que fazem explodir esse mundo solitário da libertinagem que parecia surgir da segunda função, na medida em que fazem explodir esse mundo contínuo, cúmplice e parceiro da libertinagem, tornam os libertinos insubstituíveis uns pelos outros, impermutáveis uns pelos outros, e os isolam uns dos outros.

Por conseguinte, os libertinos vão ter sistemas mais ou menos fortes, e, de acordo com a força desse sistema, o libertino poderá ser vencido ou poderá, ao contrário, triunfar sobre os outros libertinos. Os sistemas aparecem finalmente como instrumentos entre os libertinos e, sendo assim, essa famosa liberdade dos libertinos, que era limitada, como vimos há pouco, já que eles não tinham o direito de se matar uns aos outros, percebe-se nesse funcionamento mais fino do discurso que essa obrigação desaparece, e que os libertinos, à diferença dos lobos, comem-se entre si; um libertino pode matar outro e poderá matar outro quando seu discurso for mais forte que o discurso do outro. Temos um belíssimo exemplo disso quando Clairvil e Juliette decidem matar Borghèse; as duas tiveram uma grande cúmplice, uma grande parceira de libertinagem que era a princesa Borghèse. Revela-se que esta tem uma tese filosófica menos forte que Clairvil e Juliette. Tendo uma tese filosófica menos forte, Borghèse vai acreditar que as relações que se estabeleceram entre as três libertinas são relações sagradas, portanto, não vai desconfiar; não terá, por conseguinte, sustentado até o fim a tese segundo a qual o crime não existe, e tudo é possível; terá, portanto, admitido que há um crime possível: matar um companheiro de libertinagem; terá, portanto, recuado diante do fato de transpor esse crime. Por conseguinte, seu sistema vai ser mais fraco em um elemento que o sistema de Clairvil e Juliette, e é precisamente atacando esse elo mais fraco do sistema que Clairvil e Juliette vão atacar Borghèse e lhe estender uma armadilha. Borghèse, por sua vez, que não pensa que os laços da libertinagem possam ser rompidos, não verá a armadilha, cairá nela, e é a fraqueza de se seu sistema que terá permitido às outras matarem-na. Assim, a lei que dizia que os libertinos não podiam matar uns aos outros, essa lei finalmente não atua quando se vai ao fundo das coisas, pois, se é verdade que as quatro teses permitem aos libertinos reconhecerem-se entre si e os situam, em relação ao desejo, numa posição muito diferente das vítimas, resta que a diferença existente entre os sistemas constituídos a partir dessas quatro teses permite entre os libertinos uma luta incessante, uma luta infinita e que não deixará subsistir no final mais que um só dentre eles: Juliette. E é assim que Juliette, finalmente, sacrificará todos seus companheiros de libertinagem: Clairvil, Saint-Fond, Borghèse, naturalmente, todos desaparecerão; só restará Juliette, acompanhada, por razões que são, aliás, de pura libertinagem, por Noirceuil, de um lado, e por Durand, do outro, que lhe serve de criada. Eis, portanto, o quarto papel do discurso sadiano. O quinto se deduz muito facilmente.

A quinta função do discurso é esta: se é verdade que o discurso, sobre o qual tínhamos acreditado inicialmente que ele distinguia os libertinos das vítimas; se é verdade também que esse discurso distingue os libertinos entre si; se é verdade que esse discurso não é apenas um brasão de todos os libertinos em face de todas as vítimas, mas um instrumento de combate dos libertinos entre si, então o discurso vai expor o libertino à morte, vale dizer que, confrontando seu discurso ao dos outros, o libertino correrá o risco de morrer e, aliás, não apenas deverá correr o risco de morrer, mas será mesmo preciso, se leva seu discurso até o fim, admitir que não apenas a morte pode lhe acontecer, mas também que a morte é o que pode lhe acontecer de mais maravilhoso. De fato, se é verdade que a natureza não existe, que a alma não é imortal, que Deus não existe e que não há nenhum crime verdadeiro, então o que é para alguém, mesmo para um libertino, morrer? Não será o cúmulo da ofensa feita à natureza, precisamente, oferecer-se e aceitar a morte? De fato, a natureza nos criou e, mal nos criou, abandonou-nos, deixando simplesmente em nós a necessidade de viver, único vestígio, de algum modo, do gesto que fez para nos criar. A partir do momento em que renunciamos a essa necessidade de viver e a transformamos em necessidade de morrer, voltamo-nos contra a natureza, ultrajamo-la, cometemos para com nós mesmos o cúmulo dos crimes, e, já que se trata do cúmulo do crime, é bem evidente que se trata do cúmulo do prazer. E, por conseguinte, atingiremos o máximo de excitação sexual a partir do momento em que tivermos aceitado morrer, e é assim que todos os grandes libertinos de Sade, que, no entanto, fazem tudo que podem para não morrer, aceitam, contudo, quando é preciso, morrer. Bressac está pronto, diz ele, a testemunhar pela [...[70]] até o martírio. Admite que, se encontrasse alguém mais forte que ele, aceitaria que esse homem mais forte que ele dispusesse dele até fazê-lo morrer. Borghèse diz que será feliz no cadafalso, e, por conseguinte, quando tiver sido jogada dentro do vulcão por Clairvil e Juliette, será preciso supor que, no próprio dilaceramento de seu corpo pelas pedras durante sua queda, ela atingirá o cúmulo da volúpia. Juliette diz: "A coisa do

[70] Passagem ilegível, tanto no datiloscrito da conferência quanto no manuscrito preparatório.

mundo que menos temo é ser enforcada; não sabes", diz ela com a violência de sua linguagem, "que a gente esporra ao morrer enforcado? Se um dia eu for condenada, tu me verás ir voando até a forca com impudência". E a Durand diz: "Não é possível duvidar que a morte, como necessidade da natureza, deva se tornar uma volúpia, já que temos a prova cabal de que todas as necessidades da vida são sempre prazeres". E existe igualmente uma personagem espantosa que é uma sueca e que pede a seu amante para matá-la, o qual, evidentemente, não hesita, já que ela está pedindo, ou, antes, se hesita é porque tem medo, ele que quer fazê-la sofrer, que ela encontre prazer demais morrendo. Mas aplaca seus escrúpulos e a mata. E, vocês estão vendo, a partir desse momento, nessa quinta função, encontramos sob uma forma invertida aquilo que encontrávamos na primeira função, que, ela, assegurava ao indivíduo que não havia nenhum limite para o seu desejo, que ele seria de algum modo inteiramente descastrado, que o universo inteiro entraria no circuito de seu narcisismo, que nada, nunca, dele próprio seria sacrificado. A primeira função do discurso garantia ao indivíduo que, enfim, ninguém mais lhe diria "serás tu mesmo se renunciares a isso ou aquilo", mas eis que a quinta tese diz "o maior prazer de tua vida encontrarás no dia em que tua própria individualidade desaparecer", e é assim que vocês veem a quinta tese se opor à primeira.

E vocês veem, portanto, o edifício completo das funções do discurso sadiano, todas centradas nessa terceira função que chamo de destrutiva; edifício que se ergue com a função descastradora, a que se opõe a função de autossupressão do indivíduo, e com a função de reconhecimento ou de diferenciação, a que se opõe a função de luta, de rivalidade e de combate. Vocês veem ao mesmo tempo como a análise dessas quatro funções permite delimitar bem os conceitos que acredito fundamentais em Sade: a função de descastração, que permite definir muito exatamente o que se chama um libertino; a função de diferenciação, que permite definir o que se chama uma vítima; a função destrutiva, que permite definir o que Sade chama de quimera; a função de rivalidade e de luta, que permite definir o que Sade chama de sistemas, e, finalmente, a última função, que permite definir o indivíduo, ou, antes, definir como o próprio indivíduo não é absolutamente nada, de tal maneira que, às quatro teses fundamentais de que partimos, é preciso acrescentar, como consequência da quinta função, uma quinta tese, que seria esta: o próprio indivíduo não existe.

Para terminar, gostaria simplesmente de dizer que é preciso evitar, com todo cuidado, impor a Sade dois modelos de leitura. O modelo freudiano, em primeiro lugar. De fato, acredito que é importante compreender que o discurso de Sade não tem absolutamente por papel dizer a verdade sobre o desejo. Sade não tenta encetar uma análise ou uma explicação do que é o desejo sexual, do que é a sexualidade. Em Sade, o desejo não é objeto de discurso racional; de fato, discurso verdadeiro e desejo estão no mesmo plano, estão profundamente articulados um com o outro. O discurso verdadeiro multiplica o desejo, aprofunda-o, torna-o infinito, assim como o desejo torna o discurso cada vez mais verdadeiro. Não há, portanto, um nível do desejo ao qual se superporia um nível do discurso, um nível da natureza e depois uma verdade que viria esclarecer essa natureza. O fato é que discurso e desejo se encadeiam e se engrenam um sobre o outro; desejo e discurso não se subordinam um ao outro. Estão ordenados numa ordem que é, em verdade, a própria desordem. E, nessa medida, não creio que se possa comparar o discurso de Sade com o discurso de Freud; se é verdade, ao menos, que o discurso de Freud tem por função e papel dizer a verdade sobre o desejo, se é verdade que Freud quis dizer uma verdade natural, psicológica ou filosófica, pouco importa, se ele quis dizer a verdade sobre o desejo, então o discurso de Freud e o de Sade são rigorosamente incompatíveis. A única coisa que se pode objetar é isto: dizer que a psicanálise não tem por papel, e que Freud não quis, dizer a verdade sobre o desejo; dizer que Freud talvez não tenha querido ordenar o desejo à verdade. Talvez o papel de uma cura psicanalítica, o papel do discurso no campo da psicanálise, não seja ordenar um desejo a um mundo de verdade, mas rearticular o desejo e a verdade em suas relações fundamentais. Trata-se talvez, na cura psicanalítica, de restaurar a função desejante da verdade e de restituir a função de verdade ao desejo. Nesse caso, então, não é Freud que deve nos permitir ler Sade, mas Sade que deve nos permitir ler Freud, pois é exatamente isso que Sade fez em seu texto. Ele não quis promover um desejo que o Ocidente teria deixado na mentira, na ilusão, na ignorância até a luz da verdade, não foi isso, de modo algum, o que ele quis fazer. Ele quis restaurar a função desejante da verdade; quis mostrar a função da verdade do desejo; quis mostrar que verdade e desejo são como as duas faces de uma mesma fita que giraria indefinidamente sobre si mesma. Portanto, acredito que não se deva ler Sade à luz dessa espécie de concepção tradicional de Freud. Não se deve dizer: no Ocidente, ninguém jamais viu o que era o desejo; e então Sade chegou e disse já certo número de verdades sobre o desejo, e então Freud chegou depois de Sade e disse outras verdades. Mais uma vez, Sade não diz a verdade sobre o desejo; ele rearticula entre si verdade e desejo.

O segundo modelo que se deve evitar para compreender Sade é o modelo marcusiano. De fato, muito esquematicamente, pode-se dizer que, para Marcuse,[71] trata-se, num discurso verdadeiro, de liberar o desejo de todos os entraves em que ele está preso. O homem marcusiano é o homem que diz: aquilo que eu fazia até agora com um sentimento de culpa, sei daqui em diante que tudo isso era inocente e vou, depois de ter dissipado todas essas ilusões, poder fazer com toda inocência, vale dizer, com toda felicidade, aquilo que fazia com culpa; ou, ainda, (o que é melhor, no fundo, para Marcuse) simplesmente não o fazer, já que o prazer de punir a mim mesmo com o sentimento de culpa não existe mais. E assim, faço tudo em plena inocência ou não faço mais nada, há certo número de coisas que não faço mais porque não tenho mais o prazer de ser culpado, e as outras coisas, faço-as inocentemente, sem culpa, vale dizer, em plena felicidade. O homem de Sade, ao contrário, de modo algum diz isso. Não diz: liberemo-nos de todos esses entraves que limitam e alienam o desejo. O homem de Sade diz isto: sei que não tenho por que ter remorsos, mas há um grande perigo para mim. É que, se não tiver mais remorsos, será que ainda vou ter prazer em cometer crimes? Se não tiver mais remorsos, será que o crime existirá ainda o bastante para que eu sinta, ao cometê-lo, o extremo do gozo? É preciso, portanto, que eu continue a sentir no pior dos crimes o cúmulo do prazer. E, por conseguinte, para Sade, à diferença de Marcuse, o laço entre a verdade e o desejo não se faz de modo algum na inocência reencontrada, na culpa apagada, não se faz de modo algum na ordem enfim obtida. O laço entre a

---

[71] Herbert Marcuse (1898-1979), filósofo norte-americano de origem alemã, membro da Escola de Frankfurt. Muito influenciado por Hegel, Marx, Freud e Husserl, contrapõe-se aos discursos repressivos que tomam a forma da defesa do princípio de realidade e defende uma visão emancipada do homem.

verdade do desejo e a verdade em Sade só se efetua no crime continuado e na desordem permanente.

Acredito que é nesse sentido que o pensamento de Sade é aquilo em relação ao que, aquilo a partir do que seria preciso compreender Freud e Marcuse, para ressituá-los um em relação ao outro, mais do que para impor ao texto de Sade o modelo de Freud ou o modelo de Marcuse. Sade é aquele que efetivamente liberou o desejo da subordinação à verdade em que ele sempre esteve preso em nossa civilização. Sade é verdadeiramente aquele que substituiu o grande edifício platônico, que ordenava o desejo à soberania da verdade, por um jogo em que desejo e verdade são confrontados um com o outro, afrontados um ao outro, em que um apanha o outro no interior da mesma espiral. Sade é aquele que efetivamente liberou o desejo em relação à verdade; isso, sobretudo, não quer dizer que Sade tenha dito: "Enfim, o que importa a verdade em relação ao desejo?". Sade é aquele que disse: "O desejo e a verdade não são nem subordinados um ao outro nem dissociáveis um do outro". Sade é aquele que disse: "O desejo só é ilimitado na verdade, e a verdade só está em andamento no desejo", e isso não quer dizer, de modo algum, que, enfim, sob a forma de uma felicidade ou de uma tranquilidade doravante recobradas, desejo e verdade vão formar uma figura definitiva. Isso quer dizer que desejo e verdade vão se multiplicar indefinidamente, no espraiar, na cintilação, na continuação ao infinito do desejo.

Trabalhos e intervenções de Michel Foucault sobre a literatura

Existem numerosos comentários de Michel Foucault sobre textos literários, sobre escritores – passados ou contemporâneos –, sobre a escrita e sobre a linguagem. Alguns aparecem no meio dos livros (ou, num único caso, constituem um livro inteiro: o *Raymond Roussel*, de 1963), como, por exemplo, as análises consagradas às tragédias de Racine ou a O *sobrinho de Rameau*, na *História da loucura* (1961), ou ao *Dom Quixote*, em *As palavras e as coisas* (1966), ou ainda a *My secret life*, no primeiro volume de *História da sexualidade* (*A vontade de saber,* 1976) e a "A onirocrítica de Artemidoro", no terceiro volume (*O cuidado de si,* 1984).

Mas a maior parte desses textos aparece fora dos livros e foi retomada nos quatro volumes dos *Dits et écrits* de Foucault, publicados pela Gallimard em 1994, sob a direção de D. Defert, F. Ewald e J. Lagrange (citados de agora em diante como DE).[72]

---

[72] Em português, a maior parte desses textos se encontra reunida no volume 3 dos *Ditos e escritos – Estética: literatura e pintura, música e cinema.* Organização de Manuel Barros da Motta. Tradução de Inês Autran Dourado Barbosa. Rio de janeiro: Forense Universitária, 2009. No entanto, alguns dos textos elencados pelos editores franceses encontram-se em outros volumes. Fornecerei a referência em português entre colchetes. (N.T.)

Podemos apontar, por exemplo, sem pretensão de exaustividade:

"Le cycle des Grenouilles" (DE 1, 1962, sobre J.-P. Brisset) ["O ciclo das rãs", *Ditos e escritos*, v. 1]; "Un si cruel savoir" (DE 1, 1962, sobre C. Crébillon) ["Um saber tão cruel", *Ditos e escritos*, v. 3,]; "Le 'non' du père" (DE 1, sobre *Hölderlin e a questão do pai*, de J. Laplanche) ["O 'não' do pai", *Ditos e escritos*, v. 1]; "Introduction" a *Rousseau, juge de Jean-Jacques* (DE 1, 1962, sobre J.-J. Rousseau) ["Introdução", *Ditos e escritos*, v. 1]; "Préface à la transgression" (DE 1, 1963, sobre G. Bataille) ["Prefácio à transgressão", *Ditos e escritos*, v. 3]; "Guetter le jour qui vient" (DE 1, 1963, sobre R. Laporte) ["Espreitar o dia que chega", *Ditos e escritos*, v. 7]; "Distance, aspect, origine" (DE1, 1963, sobre J.-L. Baudry, M. Pleynet e Ph. Sollers) ["Distância, aspecto, origem", *Ditos e escritos*, v. 3]; "Un 'nouveau roman' de terreur" (DE 1, 1963, sobre J.-E. Hallier) ["Um 'novo romance' de Terror", *Ditos e escritos*, v. 8]; "Un 'fantastique' de bibliothèque" (DE 1, 1964, sobre G. Flaubert) ["Posfácio a Flaubert (*A tentação de Santo Antão*)", *Ditos e escritos*, v. 3]; "La prose d'Actéon" (DE 1, 1964, Sobre P. Klossowski) ["A prosa de Acteão", *Ditos e escritos*, v. 3]; "Le langage de l'espace" (DE 1, 1964, sobre R. Laporte, J. M. G. Le Clézio, C. Ollier e M. Butor) ["A linguagem do espaço", *Ditos e escritos*, v. 7]; "Pourquoi réédite-t-on l'œuvre de Raymond Roussel? Un précurseur de notre littérature moderne" (DE 1, 1964, sobre R. Roussel) ["Por que se reedita a obra de Raymond Roussel? Um precursor de nossa literatura moderna", *Ditos e escritos*, v. 3]; "Les mots qui saignent" (DE 1, 1964, sobre P. Klossowski) ["Palavras que sangram", *Ditos e escritos*, v. 7]; "Le *Mallarmé* de J.-P. Richard" (DE 1, 1964, sobre Mallarmé) ["O Mallarmé de J.-P. Richard", *Ditos e escritos*, v. 3]; "L'obligation d'écrire" (DE 1, 1964, sobre G. de Nerval) ["Obrigação de escrever", *Ditos e escritos*, v. 7]; "À la recherche du présent perdu" (DE 1, 1966, sobre J. Thibaudeau) ["Em busca do presente perdido", *Ditos e escritos*, v. 10]; "L'arrière-fable" (DE 1, 1966, sobre J. Verne) ["Por trás da fábula", *Ditos e escritos*, v. 3]; "La pensée du dehors" (DE 1, 1966, sobre M. Blanchot) ["O pensamento do exterior", *Ditos e escritos*, v. 3]; "Il y aura scandale, mais" (DE 2, 1970, sobre P. Guyotat) ["Haverá escândalo, mas...", *Ditos e escritos*, v. 3]; "Sept propos sur le septième ange" (DE 2, 1970, sobre R. Roussel, J.-P. Brisset e L. Wolfson) ["Sete proposições sobre o sétimo anjo", *Ditos e escritos*, v. 3]; "La vérité et les formes juridiques" (DE 2, 1974, com longos comentários sobre a tragédia grega, especialmente sobre o *Édipo Rei*, de Sófocles) [*A verdade e as formas jurídicas*. Rio de Janeiro: Nau, 2003]; "Sade sergent du sexe" (DE 2, 1975) ["Sade, sargento do sexo", *Ditos e escritos*, v. 3]; "À propos de Marguerite Duras" (DE 2, 1975) ["Sobre Marguerite Duras", *Ditos e escritos*, v. 3]; "Archéologie d'une passion" (DE 4, 1984, sobre R. Roussel) ["Arqueologia de uma paixão", *Ditos e escritos*, v. 3].

De modo mais geral:

"Le langage à l'infini" (DE 1, 1963, sobre a emergência de uma linguagem "encarneirada" no fim do século XVIII) ["A linguagem ao infinito", *Ditos e escritos*, v. 3]; "Débat sur le roman" (DE 1, 1964, com os membros da revista *Tel Quel*) ["Debate sobre o romance", *Ditos e escritos*, v. 3]; "Débat sur la poésie" (DE 1, 1964, com os membros da *Tel Quel*) ["Debate sobre a poesia", *Ditos e escritos*, v. 7]; "C'était un nageur entre deux mots" (DE 1, 1966, entrevista com Claude Bonnefoy que gira em torno de André Breton) ["Um nadador entre duas palavras", *Ditos e escritos*,

v. 3],"'Introduction' à *La grammaire générale et reisonnée* d'A. Arnauld et C. Lancelot" (DE 1, 1969, sobre a linguística de Port Royal), "Qu'est-ce qu'un auteur?" (DE 1, 1969) ["O que é um autor", *Ditos e escritos*, v. 3]; "Linguistique et sciences sociales" (DE 1, 1969) ["Linguística e ciências sociais", *Ditos e escritos*, v. 2] "Folie, littérature, société" (DE 2, 1970) ["Loucura, literatura, sociedade, *Ditos e escritos*, v. 1]; "La fête de l'écriture" (DE 2, 1975) ["A festa da escritura", *Ditos e escritos*, v. 7]; "L'écriture de soi" (DE 4, 1983) ["A escrita de si", *Ditos e escritos*, v. 5].

Breve cronologia

Michel Foucault (1926-1984)

1946 • ingresso na École Normale Supérieure. Frequenta um curso de filosofia e psicologia.

1957 • vai, por conta do Ministério das Relações Exteriores, para a Suécia, depois para a Polônia e para a Alemanha.

1961 • publicação de *História da loucura na idade clássica*.

1963 • publicação de *Nascimento da clínica*.

1966 • publicação de *As palavras e as coisas*.

1968 • conversas com Claude Bonnefoy.

1969 • publicação de *Arqueologia do saber*.

1970 • eleito professor no Collège de France.

1971-1972 • intervém no Grupo de Informação sobre as Prisões que fundou com Pierre Vidal-Naquet e Jean-Marie Domenach.

1976-1984 • publicação de *História da sexualidade* (3 vol.).

1995 • publicação de *Ditos e escritos* (4 vol. [em português, 10 vol.]).

1997 • início da publicação dos cursos ministrados no Collège de France.

Este livro foi composto com tipografia Bembo Std e impresso
em papel Off-White 70 g/m² na Intergraf.